The
NORMANS
in
NORFOLK

BY

Sue Margeson

Fabienne Seillier

Andrew Rogerson

© Norfolk Museums Service 1994

ISBN 0 903101 62 9

Designed by Norfolk Property Services ~ Graphic Design:
Kevin Matthews.

Translated into French by Fabienne Seillier

Illustrations by Steven Ashley, Piers Millington-Wallace,
Hoste Spalding, Susan White, David Yaxley

Aerial Photographs by Derek A. Edwards

Photographs of houses by Robert Smith

Photographs of churches by Richard Tilbrook

Photographs of objects by David Wicks

First Published 1994

Front cover: Burnham Deepdale font. Photo by Richard Tilbrook.
Back cover: Castle Acre Castle. Photo by Derek A. Edwards.

CONTENTS

ACKNOWLEDGEMENTS
REMERCIEMENTS

This book is written to celebrate the 900th anniversary of the building of Norwich Castle Keep, and to accompany an exhibition 'The Norman Treasures of Norfolk'.

In 1066, the Norman Conquest brought England into the mainstream of south European culture. In 1994, the opening of trade barriers within the European Community and the completion of the Channel Tunnel emphasise Britain's close links with Europe. Norfolk today has particularly close ties with Normandy: Norwich is twinned with Rouen.

We wish to express our gratitude to the sponsors of this book, Norwich Union, and to the other funding bodies who have supported the exhibition, Abels International Moving Services, the Norwich Town Close Estate Charity, John Jarrold Trust, John and Ruth Howard Trust.

We are deeply indebted to the following museums, libraries and private individuals who have loaned material to the exhibition:

Musée de la Tapisserie, Bayeux, Musée de Normandie, Caen, Musée des Antiquités, Rouen, France; the Trustees of the Chester Beatty Library and the Board of Trinity College Library in Dublin, Ireland; British Academy, British Library, English Heritage, Public Record Office, Society of Antiquaries and the Trustees of Victoria and Albert Museum, London; the Syndics of Cambridge University Library; the Vicar and Parochial Church Council of St Benedict's Church, Horning, Norfolk; St Peter Mancroft Church, the Norfolk Record Office, the Dean and Chapter, Norwich Cathedral, Norwich; King's Lynn Museum and Norwich Castle Museum of the Norfolk Museums Service; Mrs. Greta Allen, Mrs. Wendy Brinded, Mr. Mark Carlile, Mr. David Fox, Mr. David Parker, Mr. Robin J. Saunders; Mr. Robin T.T. Bramley, the Earl of Leicester, Mr. M.G. le Strange Meakin, Lord Walsingham; Norwich City Council (Law and Administration Department) and Norfolk County Council.

We also wish to thank Sandy Heslop, Stephen Heywood, Jill Franklin, Huguette Andriès-Smith, Robert Smith and George Zarnecki for their advice and encouragement. We are very grateful to Jens Christian Moesgaard of the Coin Room, Musée Départemental des Antiquités de la Seine Maritime for supplying text on coinage in the Anglo-Norman state.

Special thanks are due to Bill Milligan and John Davies of the Archaeology Department, Cathy Proudlove and Gordon Turner-Walker of the Conservation Department, Nick Arber, Sally Brown, Jon Maxwell, Alex Norcross-Robinson and Mike Woolner of the Display Department, Katrina Siliprandi of the Education Department (Castle Museum, Norwich) and to Brian Ayers and Andy Shelley of Norfolk Archaeological Unit.

Ce livre célébre le 900ème anniversaire de la construction du Château de Norwich, et accompagne l'exposition 'Les Trésors Normands du Norfolk'.

En 1066, la Conquête Normande amena l'Angleterre dans le courant de la culture européenne. En 1994 l'ouverture des frontières commerciales au sein de la Communauté Européenne et l'achèvement du Tunnel sous la Manche accentuent les liens rapprochés de l'Angleterre avec l'Europe. Le Norfolk d'aujourd'hui a des contacts privilégiés avec la Normandie: la ville de Norwich est jumelée avec celle de Rouen.

Nous voudrions exprimer notre gratitude envers le parrain de ce livre, Norwich Union, et envers les autres parrains de l'exposition, Abels International Moving Services, Norwich Town Close Estate Charity, John Jarrold Trust, John and Ruth Howard Trust.

Notre reconnaissance se tourne également vers les musées, bibliothèques et collectionneurs privés qui ont accepté de nous prêter les objets pour l'exposition:

Musée de la Tapisserie, Bayeux, Musée de Normandie, Caen, Musée des Antiquités, Rouen, France; les Conseils d'Administration Chester Beatty Library et Trinity College Library, Dublin, Irlande; British Academy, British Library, English Heritage, Public Record Office, Society of Antiquaries, le Conseil d'Administration du Victoria and Albert Museum, London; le Conseil d'Administration Cambridge University Library; le Pasteur et le Conseil Paroissial de St Benedict's Church Horning, Norfolk; St Peter Mancroft Church, Norfolk Record Office, Norwich Cathedral, Norwich; King's Lynn Museum et Norwich Castle Museum (Norfolk Museums Service); Mrs. Greta Allen, Mrs. Wendy Brinded, Mr. Mark Carlile, Mr. David Fox, Mr. David Parker, Mr. Robin J. Saunders; Mr. Robin T.T. Bramley, the Earl of Leicester, Mr. M.G. le Strange Meakin, Lord Walsingham; la Mairie de Norwich et le Conseil Régional du Norfolk.

Nous voudrions également remercier Sandy Heslop, Stephen Heywood, Jill Franklin, Huguette Andriès-Smith, Robert Smith et George Zarnecki pour leurs conseils et leurs encouragements. Nous sommes reconnaissants à Jens Christian Moesgaard du Musée des Antiquités de la Seine-Maritime pour son aide apportée au texte concernant les pièces de monnaie dans l'empire anglo-normand.

Nous remercions plus particulièrement Bill Milligan et John Davies du Département d'Archéologie, Cathy Proudlove et Gordon Turner-Walker du Département de Conservation, Nick Arber, Sally Brown, Jon Maxwell, Alex Norcross-Robinson et Mike Woolner du Département d'Exposition, Katrina Siliprandi du Département d'Education (Castle Museum, Norwich), Brian Ayers et Andy Shelley (Norfolk Archaeological Unit, Norwich).

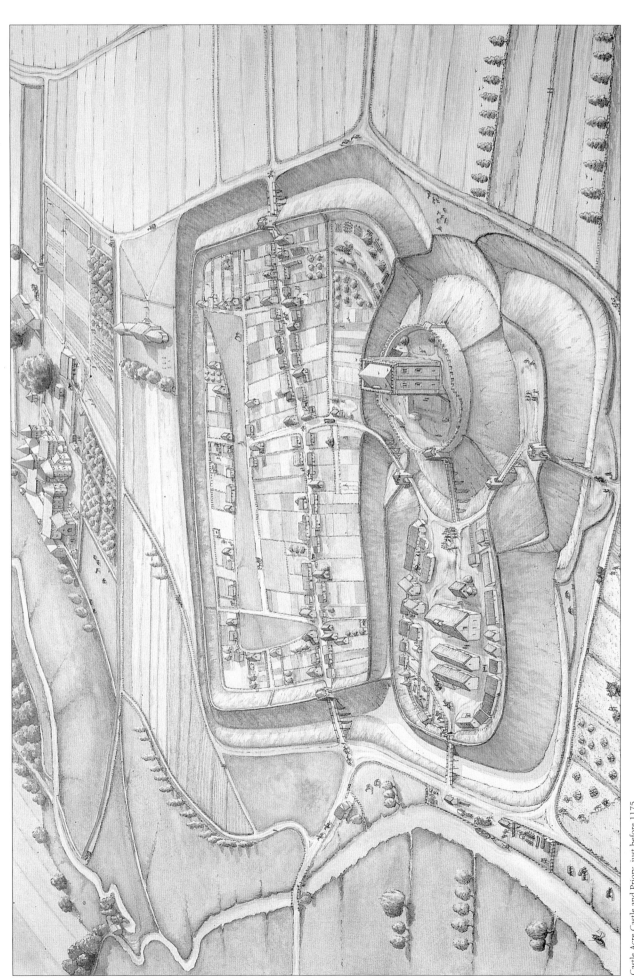

Castle Acre Castle and Priory, just before 1175.

Aquarelle du Château de Castle Acre et son Prieuré, juste avant 1175.

Watercolour by Susan White, Field Archaeology Division, Norfolk Museums Service.

THE NORMANS IN NORFOLK
LES NORMANDS DU NORFOLK

1. Walrus ivory cross with a crucifixion scene, once worn as a pendant, made around 1100 and found in Tombland, Norwich.
Croix en ivoire de défenses de morse représentant la crucifixion, utilisée en tant que pendentif, fabriquée vers 1100 et trouvée dans le quartier de Tombland, à Norwich.
Photo by kind permission of the Trustees of the Victoria and Albert Museum, London.

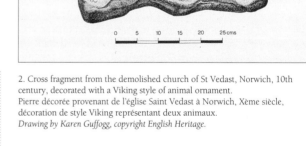

2. Cross fragment from the demolished church of St Vedast, Norwich, 10th century, decorated with a Viking style of animal ornament.
Pierre décorée provenant de l'église Saint Vedast à Norwich, Xème siècle, décoration de style Viking représentant deux animaux.
Drawing by Karen Guffogg, copyright English Heritage.

1066 - the one date we all remember, the year of the Norman Conquest. What actually happened? What was the impact of this great event on the lives of ordinary people in Norfolk?

This book and the exhibition it accompanies celebrate the richness of the Norman heritage, in castles, churches, art, houses and domestic objects. When the Normans arrived in Norfolk shortly after 1066, they found a wealthy, populated county with flourishing towns and dotted with villages. The year 1066 did not represent a stark break with what had gone before. For most ordinary people,

1066 - une date inoubliable pour tous, l'année de la Conquête de l'Angleterre par les Normands. Mais que s'est-il réellement passé? Quelles furent les conséquences de cet événement sur la vie des populations dans le comté du Norfolk?

Ce livre et l'exposition qui y est associée célèbrent la richesse de l'héritage normand dans le Norfolk. Cet héritage est toujours visible dans les vestiges qui nous sont parvenus tels que les châteaux, les églises, les maisons mais aussi l'art et les objets de la vie quotidienne. Lorsque les Normands arrivèrent dans le Norfolk peu après 1066,

3. Capital from Norwich Cathedral cloisters, decorated with sinuous animal influenced by Viking art, 12th century.
Photo by kind permission of the School of World Art Studies, University of East Anglia.

Châpiteau en provenance du cloître de la Cathédrale de Norwich, décoration de style Viking montrant un animal, XIIème siècle.

the way of life must have been much the same before and after the Conquest. Their work, their houses, their games, their food and pottery, even the way they dressed would not have been noticeably different. The same Saxon craftsmen continued to work, although for new Norman patrons, and thus Saxon art influenced the new Romanesque styles of decoration. A beautiful cross made of walrus ivory (1), once worn as a pendant by a bishop or an abbot, was made around 1100. No-one knows exactly where it was made. Found in Tombland, Norwich, it echoes a Saxon tradition of carved pectoral crosses. Likewise the influence of the Vikings who settled in Norfolk after 879 AD affected the decoration of metalwork and sculpture (2). This influence continued to be felt long after the Norman Conquest. Even a 12th-century capital from Norwich Cathedral harks back to a Viking style of decoration (3).

The Normans brought a new ruling class to England, a new hierarchy, a new language for official transactions. Being astute politicians, they had the wisdom to allow strong local institutions and customs to continue. Saxon administration survived almost intact, except that there were new overlords. The English language, already flavoured with Scandinavian words from the Viking immigrants, now began to absorb French words and expressions, and was all the richer for these new influences.

ils trouvèrent un comté riche et peuplé, des villes florissantes et de nombreux villages. L'année 1066 ne représenta pas cependant un changement brutal avec la période précédente. La façon de vivre de la population ne changea pas. Les travaux, les maisons, les jeux, la nourriture, la poterie et même la façon de s'habiller restèrent pratiquement les mêmes. Les artisans saxons continuèrent simplement de travailler sous les ordres des nouveaux chefs normands et l'art roman fut ainsi influencé par l'art saxon. Une croix de haute qualité, en ivoire de défenses de morse fabriquée vers 1100, fut utilisée comme pendentif porté par un évêque ou un abbé (1). Personne ne sait exactement où cette croix fut fabriquée. Trouvée dans le quartier de Tombland à Norwich elle est caractéristique des traditions artistiques saxonnes. De même l'influence des Vikings qui s'installèrent dans le Norfolk vers 879 après Jésus-Christ influencèrent les décorations des objets de ferronerie et des sculptures (2). Cette influence se fit d'ailleurs ressentir bien longtemps après la Conquête Normande. L'un des châpiteaux de la cathédrale de Norwich qui date du XIIème siècle en est un bon exemple (3).

Les Normands amenèrent une nouvelle classe dirigeante en Angleterre, une nouvelle hiérarchie et une nouvelle langue pour les transactions officielles. Étant des politiciens astucieux, ils possédaient la sagesse qui leur permit de renforcer les institutions locales et de continuer

Above all, the Normans brought their own rich traditions of architecture, decoration and learning. The artistic impact of the Norman Conquest is seen most vividly in the glorious Romanesque buildings which range from the impressive grandeur of Norwich Cathedral to the more modest scale of parish churches and stone houses in Norwich, Great Yarmouth and King's Lynn. Sometimes all that is left of great monasteries and castles are ruins and earthworks, or simply the outline marked in grass or crops, but these are still impressive when seen from the air. But Norman influences can also be seen on tiny buckles, and on an exquisite ivory bobbin (4) actually used in the Keep of Norwich Castle. Now and then we catch a glimpse of real people, such as a kneeling Norman soldier high up on the grand doorway of Norwich Keep (5), and nearby, a huntsman with horn raised to his lips, holding a hound on a leash as it attacks a stag. In a rare insight into the lives of the poor, we see labourers in the fields, digging and pruning, harvesting and enjoying the fruits of their labours, carved on the font in Burnham Deepdale church (6).

Let us begin just before 1066, in Normandy.....

les coutumes. L'administration saxonne survécut presque dans son intégralité, exception faite à sa tête de la présence des nouveaux seigneurs. La langue anglaise possédait déjà des mots scandinaves, elle s'enrichit de nouveaux mots et expressions en français.

Par dessus tout, les Normands amenèrent leurs propres traditions en architecture et leur savoir-faire. L'impact artistique de la Conquête Normande est le plus vivement représenté dans les constructions romanes qui varient par leurs tailles de l'imposante cathédrale de Norwich à la petite église paroissiale, mais aussi dans les maisons en pierre comme à Norwich, Great Yarmouth et King's Lynn. Parfois, monastères et châteaux ne nous sont parvenus que sous la forme de ruines ou même seulement de marques au sol qui restent d'ailleurs impressionnantes vues du ciel. Mais l'influence normande peut être perçue dans les objets de la vie quotidienne tels que dans des petites boucles de décoration ou bien dans cette bobine en ivoire, très raffinée, utilisée dans le château de Norwich (4). Ici et là on peut voir des personnages, tel le soldat normand à genou sculpté dans la porte du donjon de Norwich (5). À côté de celui-ci, un chasseur avec un cor près de ses lèvres tenant un chien en laisse, attaquant un cerf. Grace aux fonts baptismaux de Burnham Deepdale, on peut mieux comprendre la vie des gens pauvres dans leurs tâches quotidiennes: le labour des champs, la semence des graines, la moisson, la fête célébrant les battages (6).

L'Histoire commence cependant en Normandie, peu avant 1066...

4. Walrus ivory bobbin for embroidery with a man's head at one end and a dragon's head at the other. Found in Norwich Castle Keep.
Bobine en ivoire de défenses de morse, utilisée pour broder, représentant une tête d'homme à une extrémité et la tête d'un dragon à l'autre, provenant du Donjon du Château de Norwich.
Photo by Hallam Ashley, Norfolk Museums Service.

5. Kneeling Norman soldier on the doorway of Norwich Castle Keep.
Soldat normand sculpté dans la porte d'entrée du Donjon du Château de Norwich.
Photo by Hallam Ashley, Norfolk Museums Service.

6. Harvesting scene on the font in St Mary's Church, Burnham Deepdale.
Photo by Richard Tilbrook.

Scène des moissons des fonts baptismaux de l'église Sainte Marie, Burnham Deepdale.

THE STORY OF NORMANDY

LA NORMANDIE UN PEU D´HISTOIRE

7. Château Gaillard on the curving River Seine: this castle was built between 1197-1198 by Richard the Lionheart to protect Rouen from the French. It was the last castle built by the Normans.
Photo by M. Ogier, C.D.T. de l'Eure

Château Gaillard fut construit par Richard Coeur de Lion entre 1197-1198 pour protéger Rouen contre les Français. Ce fut le dernier château construit par les Normands.

Normandy, in north-west France, is famous for its apples, its green spaces and its rainfall! Surrounded by the regions of Picardy, Ile de France, the Loire valley and Brittany and to the west by the Channel, its capital is Rouen, now twinned with Norwich. Normandy is crossed by the Seine, one of the longest rivers in France (7,8).

This river played a vital role in the history of Normandy. In the 9th century, it saw the arrival of 'Northmen' or pagan Vikings from Denmark and Norway, seeking wealth and new lands. They sailed upstream in their famous, shallow-draught longships, and in a reign of terror, pillaged everything in sight, especially the richly decorated churches and monasteries. They twice destroyed Rouen, in 841 and 885. The Abbey of Jumièges was destroyed during the first invasion, and abbots, priest and bishops escaped abroad. Only the Abbey of Mont-Saint-Michel remained unscathed. Finally, the Northmen settled in the lands they had

Située dans le Nord Ouest de la France, la Normandie est une région renommée pour ses pommes, ses espaces verts et ses précipitations! Elle est entourée par les régions du Nord, de l'Ile de France, du Val de Loire, de la Bretagne, et par la Manche. Elle est traversée par l'un des plus grands fleuves de France: la Seine. Sa capitale est Rouen, ville aujourd'hui jumelée avec Norwich (7,8).

La Seine joua un rôle important dans l'histoire de la Normandie. Elle vit l'arrivée au IXème siècle de barbares venus du Danemark et de Norvège à la conquête de nouvelles terres. Ces 'Northmen' ou 'Vikings' païens utilisèrent leurs célèbres drakkars, ces bâteaux à fond plat, pour remonter le fleuve. Ils pillèrent tout sur leur passage, notamment les églises richement ornées, firent régner violence et terreur et détruisirent Rouen par deux fois en 841 et 885. L'Abbaye de Jumièges, fondée en 654, fut détruite lors de la première invasion. Les abbés, prêtres et évêques s'enfuirent vers d'autres contrées. Seul le Mont-Saint-Michel, fondé en 709, ne fut pas abandonné. Ces

terrorised. They gave their name to this area, which from the early 11th century was known as Northmannia (in Latin *terra Normannorum*, meaning the land of the Northmen) or Normandy. These sea pirates were soon converted to Christianity and became integrated with the local population.

The Vikings, under their leader Rollo, settled in the area after making an alliance with the Frankish king, Charles

'Hommes du Nord' décidèrent finalement de s'installer sur les terres conquises. Leur sédentarisme permit de donner au début du XIème siècle un nom à cette vallée de la Seine: Northmannia ou Normannia (en latin *terra normannorum*), ou encore Normandie. Ces pirates des mers se convertirent au Christianisme et s'intègrèrent parfaitement aux natifs, adoptèrent la langue et nommèrent villes et endroits.

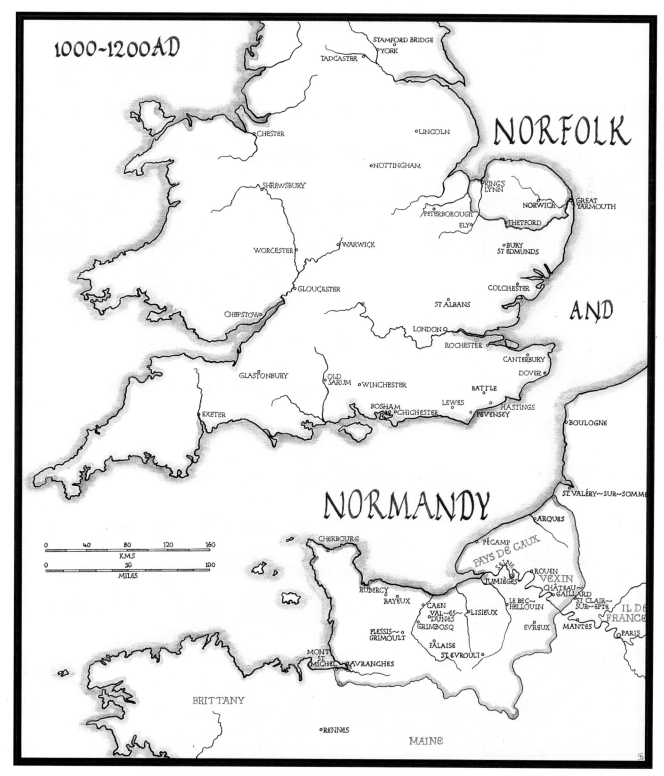

8. Normandy and England.
Map by Hoste Spalding.

La Normandie et l'Angleterre.

the Simple in 911, at Saint-Clair-sur-Epte. The treaty established Normandy as an independant fief of the Frankish kingdom. Rollo, who may have been a Norwegian, swore loyalty to the king, accepted Christian baptism, and promised to defend the Seine valley from new Viking raids. He became Count of Rouen, and took the Frankish name of William. His descendants were all called William, Richard or Robert, and the French language was quickly adopted. Scandinavian influence began to dwindle by the early 11th century but the Vikings left their mark on place-names, and a few Scandinavian words were absorbed into French, mostly to do with the sea and fishing. Rollo took over existing French institutions, and society continued to be run on French lines. He thus managed to establish peace in his lands. Rouen flourished, trade expanded, and churches and monasteries were re-built. Under Rollo and his son William Longsword, Normandy reached its outermost limits. In 924, Rollo acquired Le Mans and Bayeux from King Ralph, and his son obtained Cotentin and the Avranchin in 933. Rollo was in effect the first duke of Normandy, though the first ruler to be given the title duke was Richard II, his great-grandson, in 1006. The most celebrated duke of all was William the Conqueror. The ducal line came to an end in 1204 when the duchy of Normandy was annexed by Philip II to the kingdom of France.

En 911, le roi des Francs, Charles le Simple, s'apercevant du développement de la Normandie et de son emplacement stratégique, décida alors de s'en faire une alliée. Rollon (peut être un Norvégien), à la tête des Normands, signa un traité avec le roi des Francs à Saint-Clair-sur-Epte. Le roi reconnaissait la Normandie en tant que fief indépendant du royaume de France et lui donnait un évêché. Rollon jurait fidélité au roi, acceptait le baptême chrétien et promettait de défendre le passage de la Seine contre les Vikings toujours en quête de nouvelles conquêtes. Il devint ainsi le premier comte de Rouen et prit le nom de Guillaume. Ses descendants furent tous appelés Guillaume, Richard et Robert et la langue française fut rapidement adoptée. Certains mots nordiques sont encore présents dans le vocabulaire français actuel, notamment ceux relatés à la mer et à la pêche. Rollon dirigea la société en s'appuyant sur le modèle français. Rouen devint alors le chef-lieu de la Normandie et le commerce avec les pays du Nord se fit fructueux. Églises et monastères furent reconstruits. En 924, Rollon obtint du roi Raoul les villes de Bayeux et le Mans. Puis en 933, Guillaume Longue Epée, son fils et successeur, reçut le Cotentin et l'Avranchin. La Normandie atteignit alors ses limites territoriales. Rollon devint ainsi le premier duc de Normandie, bien que le titre de duc ne fut vraiment utilisé qu'en 1006, avec Richard II, arrière petit-fils de Rollon. De nombreux ducs succédèrent à Rollon, dont le plus célèbre fut certainement Guillaume le Conquérant. La lignée ducale se termina en 1204 lorsque le duché de Normandie fut rattaché au royaume de France par Philippe II, roi de France.

9. William the Conqueror on a silver penny from a hoard found in Norwich.
Pièce de monnaie en argent frappé à l'effigie du Guillaume le Conquérant, partie d'un Trésor trouvé à Norwich.
Photo - David Wicks, Field Archaeology Division, Norfolk Museums Service.

WILLIAM
THE ILLEGITIMATE SON (9)

William was the illegitimate son of Robert I (sometimes known as the Magnificent), Duke of Normandy, and Herleva, a young woman from an ordinary family, the daughter of an undertaker or tanner in the town of Falaise. William was born in 1027 in Falaise, where he spent his childhood. At that time he was known as 'the bastard'. Before Robert went on pilgrimage to Jerusalem in 1035, he made sure that William would inherit the title, even though he was illegitimate, and the king of France, Henry I, gave his blessing to this. Robert died in Nicaea on his return journey, and thus William became the 7th duke of Normandy (the title of duke was first used in 1006).

LA NORMANDIE AU TEMPS
DE GUILLAUME LE BÂTARD
BIOGRAPHIE DE GUILLAUME (9)

Fils illégitime de Robert le Magnifique (appelé aussi Robert le Diable), duc de Normandie, et de Arlette (Herleva), fille d'un fosseyeur ou d'un tanneur, Guillaume naquit en 1027 à Falaise, où il passa son enfance. On le surnommait alors 'le Bâtard'. Lorsqu'en 1035, Robert désirant effectuer un pélerinage à Jérusalem, investit son fils du titre de duc, il le mettait ainsi à l'abri de complots éventuels entre les ducs de Bretagne et de Bourgogne. Ceux-ci espéraient en effet faire main basse sur le duché en l'absence de Robert. Le roi de France, Henri Ier, lui même approuva cette délégation de pouvoirs et les barons normands jurèrent fidélité à Guillaume. Mais Robert meurt pendant son retour, à Nicée (Terre Sainte, aujourd'hui en Turquie). Guillaume devint alors le septième duc de Normandie.

La Normandie connut à ce moment une période de troubles. En 1040, Alain de Bretagne, le sénéchal Osbern

Seven years of unrest and bloodshed followed. In 1040, Alan of Brittany, Seneschal Osbern and Count Gilbert of Brionne, William's guardians, were murdered. William was too young to rule effectively. From his adolescence, however, he learned to fight and showed a decided ability for command and battle. He already had a genius for war which would prove deadly later on. His capabilities were put to the test in 1047 when Guy of Brionne, legitimate grandson of Richard I, Duke of Normandy and youngest son of the duke of Burgundy tried to supplant William from the dukedom. The young knight showed his courage and won the battle of Val-ès-Dune against Guy. A more assertive ruler now, William declared the 'Trêve de Dieu' (Truce of God), which prohibited battle at certain times of the week, and gave the duke's army authority to stop any unlicensed violence. William's first independent campaign was in 1052, when he attacked and captured the strategic castles of Alençon and Domfront from his enemy Geoffrey Martel, Count of Anjou. William besieged them so successfully that Martel withdrew. The same year William of Arques, William's uncle, son of Duke Richard II, rebelled against him. Based in his castle at Arques, he even received support from King Henry I of France. But William was victorious, and his uncle was humiliated and had to leave the duchy. There was a further crisis in 1053-4, when King Henry of France and Count Geoffrey again joined forces against William. William outmanoeuvred his enemies once more, and made peace with Henry. He next conquered Maine in 1062, and from 1064-65 he led a campaign against Brittany, perhaps with the assistance of a certain Harold, Earl of Wessex, from England.

In 1050, William married Mathilda, daughter of Baldwin, Count of Flanders. They had eight children, amongst them William Rufus, who was king of England for thirteen years (1087-1100), and Henry who succeeded him as Henry I of England (1100-1135). William the Conqueror was injured during a battle in Mantes against King Philip I of France, and died in Rouen on 9 September 1087. He was buried in St Étienne in Caen, the monastery he had founded.

WHO WAS WILLIAM ?

An Englishman, living in William's court, described him as 'a violent, hard-hearted, brutal, greedy and cruel man'. But all the pro-William chronicles showed him as wise, open-minded, always able to appreciate the finer points, tall and strong, and moderate in drinking and eating. The two passions in his life were religion and hunting. He heard Mass every morning, and his religious devotion was striking enough to cause comment in the chronicles. When not on expedition, William seems to have hunted every day. Even while besieging Domfront castle, he went hunting in nearby forests, showing utter confidence in the strength of his siege.

et Gilbert de Brionne, les protecteurs et fidèles de Guillaume, sont assassinés. Guillaume était trop jeune pour pouvoir assurer son autorité. Il apprit cependant à manoeuvrer les armes dès l'adolescence et montra aussitôt une aptitude au commandement et à la bataille. Il possédait déjà le génie guerrier qui fit ses preuves quelques années plus tard. Notamment en 1047, lorsque Gui de Brionne, petit-fils légitime du duc de Normandie Richard Ier et fils cadet du duc de Bourgogne, chercha à évincer Guillaume du duché. Pourtant jeune chevalier, Guillaume montra son courage et gagna la bataille qui l'opposa à Gui au Val-ès-Dune. À ce même moment, Guillaume proclama à Caen 'la Trêve de Dieu': les guerres et batailles étaient interdites certains jours de la semaine. Guillaume tentait d'imposer la paix et bannir les batailles illégales. De nouveau en 1052, le roi de France, Henri Ier et Geoffroy Martel, comte d'Anjou, s'allièrent contre Guillaume. Les villes d'Alençon et Domfront furent assiégées. Mais Martel se retira et Guillaume prit d'assaut les deux villes. Toujours en 1052, Guillaume d'Arques, fils de Richard II et oncle de Guillaume, se révolta contre le duc de Normandie. Guillaume d'Arques se retrancha dans son château, à Arques, d'où il défia Guillaume. Malgré l'intervention d'Henri Ier venu aider Guillaume d'Arques, Guillaume, duc de Normandie, vainquit et rétablit la paix dans son duché. Une nouvelle crise apparait vers 1053-1054 lorsque de nouveau Henri Ier et Geoffroy Martel s'allient contre Guillaume. Celui-ci réussit à manoeuvrer ses opposants et à faire la paix avec le roi de France. Guillaume conquit ensuite la région du Maine en 1062, puis vers 1064-65, il entreprit une campagne en Bretagne, auquel participa un certain Harold, comte de Wessex, venu d'Angleterre.

En 1050, Guillaume épousa Mathilde, fille de Baudoin, comte de Flandres, dont il eut huit enfants, parmi lesquels Guillaume le Roux (William Rufus), qui régna treize ans sur la Grande Bretagne (1087-1100) et Henri qui après lui devint roi sous le nom de Henri Ier Beauclerc d'Angleterre (1100-1135). Blessé dans un combat, à Mantes, contre le roi de France, Philippe Ier, Guillaume mourut à Rouen le 9 Septembre 1087. Il fut enterré dans l'Abbaye Saint-Étienne à Caen.

QUI ÉTAIT GUILLAUME ?

Un anglais ayant vécu à la cour de Guillaume décrivait celui-ci comme 'un homme dur, violent, brutal, avare et cruel'. Mais toutes les chroniques pro-Guillaume le montraient au contraire comme un personnage sage, large d'esprit, toujours habile à apprécier un événement, grand, fort, buvant et mangeant raisonnablement, et appliquant la morale chrétienne. Ses deux passions étaient la chasse et la religion. Guillaume assistait à la messe tôt le matin et sa dévotion religieuse était telle qu'elle donna lieu à de nombreux commentaires de la part des chroniqueurs. Lorsqu'il n'était pas en guerre, il semblerait que Guillaume

10. William the Conqueror's castle at Caen, end of 11th century (model).
Photo Musée de Normandie, Caen (Patrick David).

Château de Caen au temps de Guillaume le Conquérant, fin du XIème siècle (maquette).

William was certainly skilfull and brave, a proud and warlike lord. He was concerned about peace in his lands and defended 'the widow and the orphan'. He listened to his advisers, and helped a religious revival by building churches and abbeys. He founded the Abbey of Saint Étienne for monks and Mathilda founded the Abbey of La Trinité for nuns, in Caen. These gems of Romanesque architecture had far-reaching influences on the style of building in William's new kingdom.

He was undoubtedly a charismatic leader, who inspired his troops. But he was also ambitious and a strong ruler. His aspirations to the crown of England and the way he achieved his aims are the measure of his success. For much of his reign he ruled England from Normandy by delegating his authority to his tenants-in-chief, which meant that many local officials, especially the sheriffs, became very powerful. He travelled frequently to his new kingdom to display his authority, and to sort out troublemakers. Wherever possible he let established systems in England continue and modelled himself on the English kings. After all, he saw himself as the legitimate heir of King Edward the Confessor. However, he never really learned English, and imposed ferocious taxes on the English people. It was because he wished to maintain administrative control over his new kingdom, and to quantify its wealth that, twenty years after the Conquest, he ordered a massive survey of England, which has come to be known as the Domesday Book. William wanted to find out how his kingdom 'was occupied, and with what sorts of people'. While he ruled England as an English

chassait tous les jours. Même lors du siège de Domfront, il alla chasser dans les forêts voisines, montrant ainsi une confiance totale en la force de son siège.

Guillaume était un chef habile, courageux, orgueilleux et belliqueux, mais soucieux de faire respecter la paix sur son territoire et défenseur de la 'veuve et de l'orphelin'. Très croyant, il écoutait avec attention les conseils des dignitaires religieux. Il participa au renouveau religieux, notamment en faisant construire des églises et des abbayes. L'Abbaye aux Hommes (Saint-Étienne) et l'Abbaye aux Femmes (La Trinité) de Caen sont considérées comme deux exemples parfaits de l'architecture romane.

Cependant il était incontestablement un chef, au charisme certain, ce qui lui permettait de lancer ses troupes à l'assaut de l'ennemi. Ses aspirations à la couronne d'Angleterre et la façon dont il atteignit ses objectifs sont à la mesure de son succès. Il dirigea l'Angleterre de son fief normand en déléguant son autorité à ses tenants-en-chef ou barons. Ainsi beaucoup de ses officiels locaux, spécialement les shérifs, eurent un pouvoir important. Il alla fréquemment en Angleterre pour montrer son autorité et pour venir à bout des formenteurs de troubles. Il laissa la plupart des institutions telles qu'elles étaient et chercha à se modeler sur les rois anglais. Après tout, il se voyait comme l'héritier légitime du roi Edouard le Confesseur. Cependant, il n'apprit pas l'Anglais et les taxes imposées au peuple anglais furent très élevées. Il voulut maintenir le contrôle administratif de son nouveau royaume et quantifier la richesse du pays. C'est pourquoi il ordonna, vingt ans après la conquête, une immense étude cadastrale

king, he continued to rule Normandy as a Norman duke, relying on his *vicomtes*, the equivalent of sheriffs.

DUCAL SOCIETY

Feudal society in the dukedom of Normandy was based on personal relationships between lord and vassal. A wealthy nobleman would pay homage to the duke, and provide him with warriors in time of battle. But he might also be the vassal of other lords, whose land or property he held. There was a network of such relationships through society.

The duke held overall power and collected taxes on trade and on transport, such as *tonlieux* and *graveries*. He could give land or a fief to lords who paid him homage in return. Very often, these fiefs were part of a bigger 'honour' held by a baron or tenant-in-chief, who paid tribute to the duke. Thanks to this system, the duke made sure as far as possible of his vassals' loyalty. Everyone owed something to the duke. This relationship between vassal and duke allowed him to get men and arms, or money, in times of war. The lords in turn had *vavasseurs* or peasants who worked on their lands.

The dukes were warriors, but also political leaders, and organised administrators who knew how to manage people and maintain peace in their lands. Normandy was unique in this way and as early as 911, Charles the Simple had appreciated this. The duke had as much power as the king of France himself. The duke gave privileges or punishments according to his laws, and passed judgements in his court. People came to him for advice, and he had the power to expel anyone undesirable from the duchy. The duke's court was composed of high-ranking religious authorities, royal officials, barons and lords, and was very important to the duke. Without its approval he could not appoint his successor. When Robert the Magnificent chose William as his heir, he made sure that his court swore loyalty to him. The duke travelled widely, with his court in attendance. Under William the Conqueror, Rouen flourished as the chief city of Normandy, and Caen, where William built his fortified palace (10) and monasteries, became second only to Rouen.

CASTLES

The tradition of defensive and residential stone keeps or towers goes back to the mid-10th century at Doué-la-Fontaine, where an earlier stone hall was rebuilt as a tower probably by Theobald, Count of Blois. Fulk, Count of Anjou, built many keeps, including one at Langeais around 1107. In Normandy, a stone tower was built at Rouen during the rule of Duke Richard I (942-996). Out of this tradition grew the stone keeps of the late 11th and 12th centuries (11).

de l'Angleterre, connue sous le nom de Domesday Book. Il voulait savoir 'de quelle façon son royaume était composé et par quel genre de gens'. Alors qu'il dirigeait l'Angleterre comme un roi anglais, il continua d'exercer son pouvoir sur la Normandie comme un duc normand, se reposant sur ses vicomtes, les équivalents des shérifs.

LA SOCIÉTÉ DUCALE

La société féodale du duché de Normandie reposait sur les relations personnelles entre le seigneur et son vassal. Un riche noble rendait 'hommage' au duc et lui procurait des hommes en cas de bataille. Mais ce noble pouvait aussi être le vassal d'autres seigneurs dont il tenait des terres. Ce réseau de relations était présent dans toute la société.

Le duc détenait le pouvoir et était propriétaire de la plus grande partie des terres et des villes principales. Il percevait des impôts ou droits utiles sur le commerce et les transports, tels que les *tonlieux* ou *graveries*. Le duc accordait certaines terres ou fiefs directement à des seigneurs. Ces tenanciers, en échange, rendaient hommage au duc. Mais bien souvent, les fiefs faisaient partie d'un ensemble appelé 'honneur', tenu par un baron ou tenant-en-chef. Dans ce cas, les seigneurs rendaient hommage au baron, qui lui-même rendait hommage au duc. Le duc s'assurait ainsi de la loyauté et de la fidélité de tous ses sujets. Tous lui étaient redevables. Cette relation de vassalité permettait au duc d'obtenir hommes et armes en cas de guerres, mais qui pouvaient aussi dans certains cas se changer en aides financières. Les seigneurs eux-même avaient sous leurs coupes des *vavasseurs*, paysans qui travaillaient sur leurs terres. Ils rendaient hommage au seigneur.

Les ducs étaient tous des hommes de guerre, mais aussi des chefs politiques et des organisateurs qui savaient diriger leur peuple et maintenir la paix dans le duché. La Normandie était unique dans le genre, et Charles le Simple le comprit très vite. Le duc avait autant de pouvoir sur ses terres que le roi de France lui-même. Il accordait privilèges ou punissait selon ses lois, jugeait au sein de sa cour et l'on venait chercher conseil auprès de lui. Il avait suffisamment de pouvoirs pour chasser les indésirables! La cour du duc se composait de divers dignitaires religieux, de représentants du pouvoir royal et des principaux seigneurs ou vicomtes. Le terme 'baron' n'apparaîtra qu'en 1032. Mais la cour était aussi très importante pour le duc. Sans elle, il ne pouvait désigner de successeur. Lorsque Robert choisit Guillaume comme successeur, il s'assura que sa cour prêta serment de fidélité envers son nouveau duc. Le duc était souvent en voyage pour visiter son domaine et sa cour le suivait. Rouen fut d'abord le chef lieu de la Normandie, mais sous Guillaume le Conquérant, Caen et son château nouvellement construit vinrent la seconder en 1060 (10).

11. Caen castle under Henry I of England and Normandy, first third of 12th century (model).
Photo Musée de Normandie, Caen (Patrick David).

Château de Caen sous Henri Ier Beauclerc, premier tiers du XIIème siècle (maquette).

12. Castle of Plessis-Grimoult, second quarter of 11th century (model).
Photo Musée de Normandie, Caen (Patrick David).

Enceinte du Plessis-Grimoult, second quart du XIème siècle (maquette).

Normandy also had many castles (first wood, then stone buildings within earthworks) from the 11th century, such as Rubercy, Gravenchon, Olivet-à-Grimbosq and Plessis-Grimoult (12). The Normans knew how to build quickly and well both in Normandy and in England after the Conquest, as we know from the Bayeux Tapestry. Between 1066 and 1087, William the Conqueror only went to England about 10 times. He was certainly a good manager who surrounded himself with competent people. Despite his absence, peace was, for the most part, maintained in his kingdom. Of course, his tenants-in-chief were expected to be loyal in return for lands in England given to them by the king. The presence of castles all over the country must have created respect for the Norman invaders among the English population. The castle, and especially the stone keep, was the symbol of the new power in the land.

TRADE AND COINS

Proximity encouraged trade between Normandy and England, even before the Conquest, but also with other European countries such as Scandinavia.

The political ties did not lead to monetary union, however. Just as in other spheres, William allowed the Norman and the English systems to continue on their own lines, so coinage too continued in the two countries as it had before the Conquest. The silver penny was struck in both Normandy and England before the Conquest. Although at first they were roughly the same quality and weight, inflation was more rapid in Normandy than in England. By 1066, the Norman penny or *denier* weighed only about 0.75 grams and was made of an alloy of half silver and half copper. By contrast, the English penny weighed about 1.35 g of good silver.

Finds of English coins in Normandy, or Norman coins in England after 1066 are very rare. This shows they circulated as legal tender only in the country of origin. As with any other foreign coins, they would have been melted down to be recycled as local coins. It was only considerably later from about 1200, when England ruled part of France, that English coins began to circulate across the Channel.

CHURCHES

After the Viking invasions of the 10th century, and the destruction of the monasteries, monastic life was gradually restored under the newly converted pagan Northmen. Churches were re-built, among them the Abbey of Jumièges around 940 (13), on the orders of William Longsword. The Abbey of Saint Wandrille followed in 960. Under Duke Richard II (996-1026) and with the

LES CHÂTEAUX

La tradition des tours et donjons en pierre (défensifs ou résidentiels) remonte au milieu du Xème siècle, à Doué-la-Fontaine où l'on trouvait un hall en pierre et qui fut probablement transformé en tour par Théobalde, comte de Blois. Fulk, comte d'Anjou, construisit beaucoup de donjons dont un à Langeais vers 1107. En Normandie, une tour en pierre fut édifiée à Rouen pendant le règne de Richard Ier (942-996). Les donjons en pierre se développèrent aux XIème et XIIème siècles (11).

Depuis XIème siècle, la Normandie possédait également de nombreux châteaux (construits d'abord en bois, puis en pierre) comme Rubercy, Gravenchon, Olivet-à-Grimbosq ou Plessis-Grimoult (12). Les normands savaient construire vite et bien d'impressionnants châteaux aussi bien en Normandie qu'après la Conquête en Angleterre, comme on peut le voir dans la Tapisserie de Bayeux. Notons qu'après la Conquête, Guillaume le Conquérant n'effectua qu'une dizaine de voyages sur les terres conquises (entre 1066 et 1087). Guillaume était certainement un chef dans la mesure où malgré son absence une paix relative régna dans son royaume. Il savait s'entourer de personnes compétentes et osait espérer ses barons fidèles en leur accordant notamment des terres en Angleterre. La présence de châteaux et surtout des donjons en pierre imposaient silence et respect à la population. Ils étaient les symboles du nouveau pouvoir.

LA MONNAIE ET LE COMMERCE

La proximité des deux pays permit à la Normandie des échanges commerciaux avec les Iles Britanniques et ceci bien avant la Conquête, mais aussi avec d'autres pays d'Europe, tels que les pays Scandinaves.

Les liens politiques en revanche ne menèrent pas à une union monétaire. Comme dans d'autres domaines, Guillaume permit aux systèmes monétaires normands et anglais de continuer selon leurs propres particularités. Le 'penny' (*denier*) en argent était frappé en Normandie et en Angleterre avant la Conquête. Bien qu'au début ils furent de même qualité et de même poids, l'inflation fut plus rapide en Normandie qu'en Angleterre. En 1066, le denier normand pesait seulement 0.75 grammes et était composé d'un alliage moitié argent/moitié cuivre. Le 'penny' anglais pesait 1.35 grammes d'argent pur.

La découverte de pièces de monnaie anglaises en Normandie ou de pièces de monnaie normandes en Angleterre sont très rares. Ceci montre que les pièces en circulation n'étaient valides que dans leur pays d'origine. Comme beaucoup de pièces étrangères, elles devaient être fondues pour servir à la fabrication de nouvelles pièces. Ce n'est que vers 1200 lorsque l'Angleterre dirigeait une partie de la France que les pièces de monnaie anglaises commencèrent à circuler de l'autre côté de la Manche.

13. Crozier from the Abbey of Jumièges, gilded copper alloy, early 12th century.
Crosse de Jumièges, cuivre doré, début du XIIème siècle.
Photo Musée des Antiquités, Rouen.

LES ÉGLISES

La Normandie de l'époque ducale amena un renouveau religieux. Les invasions Vikings du Xème siècle avaient mis en fuite les dignitaires religieux, vers l'Italie par exemple. La paix instaurée au fil des ans par les ducs de Normandie permit un rétablissement lent et difficile de la vie religieuse et monastique. L'effort matériel fut considérable. Les païens firent place à de bons chrétiens. La reconstruction de l'Abbaye de Jumièges, incendiée en 841, fut décidée par Guillaume Longue Epée, vers 940 (13). Celle de Saint Wandrille suivit en 960. Sous le règne de Richard II notamment (996-1026) et avec l'aide de Guillaume de Volpiano, ramené d'Italie en 1001, la création de nouveaux ordres religieux associés à la construction d'abbayes et d'églises favorisèrent le développement de l'Église et de son pouvoir. Mais de nouveau un essoufflement du mouvement monastique se fit sentir à la mort de Richard II. La vie monastique ne reprit son plein essor qu'en 1032 avec le monastère de Cerisy sous le règne de Robert le Magnifique. Seul le Mont-Saint-Michel (fondé en 709) ne fut jamais abandonné durant cette période. L'Abbaye du Bec Hélouin fut fondée par Lanfranc qui devint plus tard Archevêque de Cantorbéry. La cathédrale de Rouen fut construite au début du XIIème siècle (14) sur les fondations d'une ancienne basilique du IVème siècle.

Il faut noter également que les dignitaires religieux avaient le plus souvent des liens familiaux avec le duc ou étaient

14. Capital from Rouen Cathedral, mid-12th century.
Photo Musée des Antiquités, Rouen.

Châpiteau avec décor de palmettes repliées, Cathédrale de Rouen, milieu du XIIème siècle.

15. Edward the Confessor gives instructions to Harold who sets out for Normandy. *Photo - Tapisserie de Bayeux, XIème siècle - Avec autorisation spéciale de la ville de Bayeux.*

Le Roi Edouard le Confesseur charge Harold d'une mission. Celui-ci s'embarque pour la Normandie.

help of William de Volpiano, brought from Italy in 1001, the creation of new monastic orders and the building of monasteries increased the power of the Church. But with the death of Richard II, a slight lull in church-building occurred until 1032 when Robert the Magnificent created the monastery of Cerisy. Mont-Saint-Michel (founded in 709) was the only monastery whose life continued uninterrupted. The Abbey of Le Bec-Hélouin was founded by Lanfranc, later Archbishop of Canterbury. Rouen Cathedral was built at the beginning of the 12th century (14) on the foundations of a 4th-century basilica. Most important religious figures had family connections with the duke or were close friends. The most powerful, and notorious, bishop was Odo, William's half-brother who became regent in England while William was in Normandy. He later over-reached himself, and tried to make himself Pope by buying the papacy, and William had no choice but to imprison him in 1082.

THE BATTLE OF HASTINGS

While Robert I was preparing his trip to Jerusalem in 1035, Cnut of Denmark, King of England since 1016,

des amis très proches de celui-ci. Le plus célèbre et puissant personnage était Odon, demi-frère de Guillaume, qui gouvernait à la place de Guillaume lorsque celui-ci était en Normandie. Plus tard, il voulut trop entreprendre et essaya de se faire élire pape en achetant la papauté. Guillaume le fit emprisonner en 1082.

LA BATAILLE DE HASTINGS - 14 OCTOBRE 1066

Alors que Robert le Magnifique préparait son départ pour Jérusalem, Cnut le Grand du Danemark, roi d'Angleterre depuis 1016, meurt la même année. Son fils illégitime Harold Ier lui succéda. Lorsqu'en 1040 ce dernier meurt à son tour, Hardinacute, fils d'Emma et de Cnut, prit à son tour le pouvoir. Emma était la fille de Richard Ier, troisième duc de Normandie et première épouse de Aethelred roi d'Angleterre avant Cnut. Un des enfants d'Emma et de Aethelred s'appelait Edouard. À partir de 1013, celui-ci trouva refuge auprès d'amis en Normandie et y établit des liens très forts avec eux. Mais en 1042 Hardinacute à son tour disparait et Edouard fut couronné roi d'Angleterre et devint le Confesseur.

16. Touching two reliquaries, Harold swears an oath of loyalty to William.
Photo - Tapisserie de Bayeux, XIème siècle - Avec autorisation spéciale de la ville de Bayeux.

Sur deux reliquaires, Harold prête serment à Guillaume.

17. Harold receives the orb and sceptre at his coronation.
Couronnement d'Harold, qui reçoit l'épée et le sceptre.
Photo - Tapisserie de Bayeux, XIème siècle - Avec autorisation spéciale de la ville de Bayeux.

18. The Norman fleet is prepared for the journey to England. Weapons and chain-mail are carried to the ships.
La flotte Normande se prépare pour le voyage en Angleterre. Armes et côtes de mail sont amenées sur les bâteaux.
Photo - Tapisserie de Bayeux, XIème siècle - Avec autorisation spéciale de la ville de Bayeux.

died. Harold I, son of Cnut and his mistress Aelfgifu, succeeded him. On his death in 1040, Harthacnut, Cnut's son by his wife Emma, became king. Emma (daughter of Richard, 3rd duke of Normandy) was the widow of Aethelred the Unready, and one of their children was Edward, later the Confessor, who took refuge in Normandy from 1013. Edward forged strong links with Normandy during his exile. When Harthacnut died in 1042, Edward the Confessor became king of England.

Pour remercier le peuple normand de son accueil lors de son exil, Edouard nomma des seigneurs normands à la cour d'Angleterre. Ceci provoqua une opposition féroce de la part des seigneurs anglais, notamment de Godwin, comte de Wessex. En 1045, Edouard épousa la fille de Godwin, Edith. En 1051, Edouard essaya peut être de réduire le pouvoir de la famille de Godwin. Il envoya des messagers promettant la couronne d'Angleterre à Guillaume et exila Godwin et son fils Harold.

19. The fleet sets sail for England.
Photo - Tapisserie de Bayeux, XIème siècle - Avec autorisation spéciale de la ville de Bayeux.

La flotte fait voile sur l'Angleterre.

20. The Normans build a motte and a castle at Hastings.
Les Normands construisent une motte et un château à Hastings.
Photo - Tapisserie de Bayeux, XIème siècle - Avec autorisation spéciale de la ville de Bayeux.

21. The battle rages.
La bataille fait rage.
Photo - Tapisserie de Bayeux, XIème siècle - Avec autorisation spéciale de la ville de Bayeux.

In recognition of the dukedom's welcome during his exile, Edward appointed some Norman lords to the English court. This met with violent opposition from the English, especially Godwin, Earl of Wessex, the head of the most powerful noble family. In 1045, Edward had married Edith, Godwin's daughter. In 1051, Edward apparently tried to quell the power of the Godwin family. He sent messengers to William in Normandy to offer him the

Soudainement, en 1052, Godwin et Harold firent un retour triomphal et armé. Godwin obtint que certains seigneurs normands soient exclus du pouvoir. Il devint alors le second personnage du royaume. Lorsqu'il meurt l'année suivante, son fils lui succéda.

En 1064 Harold effectua un voyage en Normandie (15). Les sources écrites contemporaines comme Guillaume de

22. Harold dies after being shot in the eye with an arrow, and struck with a sword.
Photo - Tapisserie de Bayeux, XIème siècle - Avec autorisation spéciale de la ville de Bayeux.

Harold reçoit une flèche mortelle dans l'oeil et est frappé par une épée.

crown of England, and exiled Godwin and his son Harold. Godwin and Harold returned with force to England in 1052, and under pressure, Edward finally dismissed some of the Norman courtiers. Godwin died the following year and Harold succeeded him as Earl of Wessex.

In 1064, Harold went to Normandy (15). Contemporary written sources like William of Poitiers say that Edward sent Harold to tell William that he would succeed him as king of England. The Bayeux Tapestry shows Edward giving Harold instructions, seemingly the same version as William of Poitiers. However, it is unlikely that Edward could have got the powerful Harold to undertake such a mission. Its exact nature remains a mystery, and it may have been purely personal. William cleverly turned it to his advantage. Harold's ship ran aground on Guy of Ponthieu's lands and he became his prisoner. After negotiations with Guy, William obtained the release of Harold. In thanks for his release, Harold swore an oath to William, promising to help William's accession to the throne of England. Harold thus became a vassal of the duke of Normandy, and even went with him on an expedition against Count Conan II in Brittany. The Bayeux Tapestry shows Harold swearing an oath of fealty to William as king, the oath made on holy relics in Bayeux

Poitiers expliquent qu'Edouard envoya Harold en Normandie pour faire savoir à Guillaume qu'il lui succéderait à la tête du royaume d'Angleterre. Il est pourtant difficile d'imaginer qu'Edouard eut ce pouvoir sur une personne aussi puissante que Harold. La Tapisserie de Bayeux confirme les propos de Guillaume de Poitiers en montrant Edouard donnant ses instructions à Harold. Mais les vraies raisons de ce voyage restent encore mystérieuses et peut-être avait-il un caractère personnel. Guillaume, très intelligemment, détourna les faits à son avantage. Harold s'échoua sur les terres d'un certain Guy de Ponthieu. Il devint son prisonnier. Cependant après des pourparlers avec Guy de Ponthieu, Guillaume obtint la libération d'Harold. En remerciement, Harold prêta serment à Guillaume. Ce serment non seulement laissait la couronne d'Angleterre à Guillaume sur laquelle Harold avait des vues, mais faisait aussi et surtout d'Harold le vassal du duc de Normandie. Harold participa même à une campagne en Bretagne contre le comte Conan II. La Tapisserie de Bayeux montre Harold jurant sur des reliquaires juste après cette campagne (16). Edouard le Confesseur meurt en Janvier 1066 ... et Harold fut proclamé roi d'Angleterre (17). Il prétendit en effet avoir reçu la couronne des mains d'Edouard sur son lit de mort. Face à ce qu'il considérait comme un crime de lèse-

after this campaign (16). Edward the Confessor died in January 1066, and Harold became king (17), saying he had received the crown from Edward on his deathbed. William considered this act as perjury and prepared to invade England with the help of his Norman lords and the blessing of Pope Alexander II.

The Norman fleet (18,19) carrying, it is said, 7000 soldiers and numerous horses, landed in Pevensey on 28 September 1066. William laid his plans meticulously, fortifying Pevensey and Hastings (20), and prepared his tactics.

Meanwhile, Harold and his troops were engaged in defeating Harald Hardrada of Norway at the battle of Stamford Bridge in Yorkshire on 25 September. They marched rapidly south to London, intending to take William by surprise. Though they reached London by 6 October, they were exhausted, and William cleverly outmanoeuvred them by getting to the field of battle close to Hastings ahead of them. The fierce and savage battle began early in the morning of 14 October, and raged all day (21).

Despite grim fighting by the English, and heroic deeds by Harold and his retainers, the superior battle tactics of the Normans eventually won the day, and William led his men to victory.

Harold, according to the Bayeux Tapestry, was killed by an arrow in his eye, and then hacked by a sword (22).

The coronation of the new king was held at Westminster Abbey on 25 December 1066, the church where Harold had been crowned, and where Edward the Confessor was buried. There could be no surer way of demonstrating his determination to take on the mantle of an English king. Thus William the Bastard, Duke of Normandy, became William the Conqueror.

THE BAYEUX TAPESTRY

The Bayeux Tapestry is unique. This colourful embroidery depicts the successive episodes of the Norman Conquest, in a style reminiscent of a strip cartoon. A lively inscription runs the length of the Tapestry, explaining the pictures. It tells of the events leading up to the battle of Hastings, of William's claim to the English throne, and of Harold breaking his promise to support William and taking the crown for himself. William is shown as a strong and courageous warrior, and Harold too is a noble leader, who dies heroically in battle.

The Tapestry was probably commissioned by Odo, Bishop of Bayeux and half-brother of William, to decorate his

majesté, Guillaume décida, avec l'appui des barons normands et de la bénédiction du pape, Alexandre II, de partir en Angleterre et de reprendre possession de ce titre.

Ainsi une flotte (18,19) emmena environ 7000 soldats normands et leurs chevaux qui débarquèrent à Pevensey le 28 Septembre 1066. Guillaume prépara très minutieusement son plan d'attaque. Il construisit des fortifications à Pevensey et à Hastings (20). Pendant ce temps, Harold et ses troupes étaient en train de faire échouer une tentative d'invasion de la part du norvégien Harald Hardrada à Stamford Bridge (Yorkshire). Puis les forces anglaises marchèrent rapidement vers Londres dans l'attention de prendre Guillaume par surprise. Ils atteignirent Londres le 6 Octobre, complètement épuisés. Guillaume l'emporta sur Harold en tactique, arrivant le premier sur le champ de bataille près de Hastings. La sanglante et sauvage bataille commença à l'aube du 14 Octobre. Elle se prolongea toute la journée (21). Malgré le courage des anglais et l'héroïsme de Harold et de ses soldats, la supériorité tactique des normands leur permit de remporter la victoire. Selon la Tapisserie de Bayeux Harold fut frappé par un coup d'épée et une flèche lui transperça l'oeil (22).

Le nouveau roi d'Angleterre fut couronné en l'Abbaye de Westminster le 25 Décembre 1066. Cette abbaye avait été également le témoin du couronnement d'Harold et Edouard le Confesseur y était enterré. C'était une façon pour Guillaume de montrer sa détermination à endosser le manteau d'un roi anglais. Guillaume le Bâtard faisait place à Guillaume le Conquérant.

LA TAPISSERIE DE BAYEUX

La Tapisserie de Bayeux est unique. Elle relate les différentes étapes de la Conquête Normande, dans un style proche d'une bande dessinée. Une légende est inscrite tout au long de la Tapisserie et explique les différents épisodes. La Tapisserie raconte les événements qui amenèrent à la Bataille de Hastings, la revendication du trône d'Angleterre par Guillaume, Harold manquant à sa parole d'aider Guillaume et se faisant couronner roi d'Angleterre. Guillaume est montré comme un grand guerrier, et Harold comme un noble qui mourut héroïquement sur le champ de bataille.

Chef d'oeuvre de broderie, elle a été sans doute commandée par Odon de Conteville, évêque de Bayeux, comte de Kent et demi-frère de Guillaume le Conquérant, pour être exposée dans la cathédrale de Bayeux. La Tapisserie y fut certainement exposée à partir du XVème siècle et jusqu'au XIXème siècle. Cependant, selon la légende, cette Tapisserie a souvent été interprétée comme celle de Mathilde, femme de Guillaume.

great hall, or to hang in Bayeux Cathedral. It was in the cathedral from at least the late 15th century to the 19th century.

The Tapestry was made by English women, perhaps from Kent. It was natural that Odo should use English embroiderers, as their work was renowned throughout Europe at this time. It was most likely made before 1082, when Odo was imprisoned by William. The dramatic events of the Norman Conquest unfold across 70 metres of linen, and include 626 people, 190 horses, 35 dogs, 506 other animals, 37 ships, 33 buildings and 37 trees. It is not only a wonderful artistic achievement, but also a prime historical record of one of the key periods of our history.

WRITTEN SOURCES

Several sources about the Norman Conquest were written down soon after 1066.

The earliest is *Gesta Normannorum Ducum* (The Deeds of the Dukes of the Normans), written in 1070-1071 by William of Jumièges.

Gesta Guillelmi Ducis Normannorum et Regis Anglorum (The Deeds of William, Duke of the Normans and King of the English), finished in 1077 and written by William of Poitiers.

As both were written to praise William, they are to a certain extent propaganda for the Norman cause.

Slightly later, written in the 12th century before 1141 is the Ecclesiastical History, by Orderic Vitalis, a monk of Saint-Evroult abbey in southern Normandy. Orderic was born in England in 1075, and had a French father and an English mother.

Another great work was written in England and completed in c.1125 by William of Malmesbury, also of Anglo-Norman parents: *De Gestis Regum Anglorum* (On the Deeds of the Kings of the English).

THE ANGLO-SAXON CHRONICLE

This was written in English by monks in the reign of King Alfred (871-899). Three versions cover the period of the Norman Conquest. The original Chronicle of Alfred's reign was copied in several monasteries. At Abingdon, Worcester and Peterborough scribes continued the Chronicle up to the time of writing, 1066, 1079 and 1154 respectively. The Chronicles present the point of view of the defeated English and often express dismay and sorrow at the impact of the Conquest.

La Tapisserie a été effectuée par des artisans anglais dans le comté de Kent et ensuite ramenée en France. Ces artisans étaient réputés dans toute l'Europe. Elle fut réalisée avant 1082, année où Guillaume fit emprisonner Odon. L'utilisation de couleurs, la finesse de la broderie et de la toile de lin mettent en valeur les événements dramatiques qui se déroulent pendant la Conquête Normande. 626 figures humaines, 190 chevaux, 35 chiens, 506 animaux divers, 37 bateaux, 33 bâtiments, et 37 arbres sont représentés dans ces 70 mètres d'Histoire. C'est une réussite artistique absolument fantastique, mais aussi un document historique unique d'une des périodes les plus déterminantes de notre Histoire.

RÉFÉRENCES ÉCRITES

Différents documents relatant la Conquête Normande ont été écrits peu après 1066.

Les *Gesta Normannorum Ducum* (Histoire des Ducs de Normandie) furent écrits par Guillaume de Jumièges vers 1070-1071.

Guillaume de Poitiers écrivit les *Gesta Guillelmi Ducis Normannorum et Regis Anglorum* (Histoire de Guillaume le Conquérant) qui furent achevés en 1077.

Ces deux documents furent écrits en faveur du Conquérant, et dans une certaine mesure un outil de propagande pour la cause normande.

Un peu plus tard apparut *l'Historia Ecclesiastica* (Histoire Ecclésiastique), par Orderic Vitalis. Celui-ci était un moine de l'Abbaye de Saint-Evroult au Sud de la Normandie. Il était né en 1075 en Angleterre de père français et de mère anglaise.

Guillaume de Malmesbury, lui aussi de parents anglo-normands écrivit un ouvrage qui fut achevé vers 1125, *De Gestis Regum Anglorum*.

LA CHRONIQUE ANGLO-SAXONNE

Cette chronique fut écrite en anglais par des moines pendant le règne du roi Alfred (871-899). Trois versions parlent de la période de la Conquête Normande. Le texte original fut copié dans différents monastères. À Abingdon, Worcester et Peterborough, des copistes continuèrent la chronique respectivement jusqu'en 1066, 1079 et 1154. Ces chroniques présentent le point de vue anglais et exprime souvent la consternation et la tristesse, conséquences de la Conquête Normande.

THE DOMESDAY BOOK

LE DOMESDAY BOOK

In Gloucester at Christmas 1085, William decided to make a great survey of England. It is a record of how his kingdom was organised and it was written from the Norman point of view.

The survey is in two books, Great Domesday which covers England south of the River Tees to the River Ribble, and Little Domesday which covers Essex, Suffolk and Norfolk.

It was completed remarkably quickly by the autumn of 1086 when William returned to Normandy. The survey records were probably presented to him on 1 August 1086 at Old Sarum in Wiltshire, when he received oaths of allegiance from all the chief men of England.

The Domesday Book is a survey county by county, and contains the holdings of each individual landholder. A list of estates or manors is given with the name of the landholder and of his predecessor in 1066, the tax assessment, the value (in 1066 and 1086), the number of peasants and ploughs, and then a variety of other information, such as how many mills and animals were owned. Chief towns in a county usually have a separate entry. The information is sometimes very complicated and difficult to disentangle, particularly where numbers are given as fractions (1/4 market or 1/3 mill for example). Fractions were used where mills or markets were on estates which lay within more than one parish.

The kingdom was divided into seven circuits, and each had a group of commissioners who visited each county on their circuit using existing records (tax lists), and ordered other records as they needed them.

The success of the survey depended on William's political will to follow the project through. The work of recording information was based on existing English administration, but Norman and French administrators masterminded the survey. The Domesday Book was above all intended to assess the wealth of the kingdom, and also to record who owned what after all the transfer of property over the 20 years since the Conquest. King and landowners alike were anxious to resolve disputes over ownership of land and this explains why people were willing to have their lands surveyed!

Guillaume décida à Gloucester en 1085 de réaliser une grande enquête sur l'Angleterre. Le Domesday Book est le cadastre des hommes, animaux, biens du territoire anglais et il fut écrit du point de vue normand.

L'enquête se présente sous la forme de deux livres. Le Great Domesday couvre les régions d'Angleterre du Sud du fleuve Tees au fleuve Ribble et le Little Domesday couvre les régions d'Essex, du Suffolk et du Norfolk.

L'enquête fut remarquablement exécutée et terminée pour l'automne 1086 lorsque Guillaume retourna en Normandie. Le résultat final lui fut probablement présenté le 1er Août 1086 à Old Sarum, près de Salisbury (Wiltshire). Guillaume y reçut les serments d'allégeance de tous les seigneurs d'Angleterre.

Le Domesday Book est une enquête comté par comté et enregistre ce que chaque propriétaire possède. Une liste des domaines ou des manoirs est donné avec le nom du propriétaire en 1086 et son prédécesseur en 1066, une évaluation du montant imposable, la valeur des terres (en 1066 et 1086), le nombre de paysans et d'équipes de labours, et aussi toute une variété d'informations, telles que le nombre de moulins et d'animaux possédés. Les villes principales étaient enregistrées à part. Les informations sont quelquefois très compliquées et difficiles à déchiffrer, particulièrement lorsque les chiffres correspondent à des fractions (1/4 de marché ou 1/3 d'un moulin par exemple). Ces fractions étaient utilisées là où moulins et marchés se trouvaient sur des domaines qui couvraient plusieurs paroisses.

Le royaume fut divisé en sept circuits, chaque circuit ayant un groupe de commissaires qui visitèrent chaque comté de leur circuit, utilisant des données déjà existantes comme les listes d'imposition, et enregistrant les données nouvelles.

Le succès de cette enquête dépendit de la volonté politique du Conquérant de mener à bien ce projet. Le Domesday Book avait pour but de quantifier la richesse du royaume, et de déterminer qui possédait quoi après 20 ans de changements de propriétés. Le roi et les grand propriétaires étaient tous anxieux de mettre fin aux disputes concernant la revendication des terres et ceci explique pourquoi les barons furent enthousiastes à avoir leurs terres inspectées!

CASTLES

LES CHÂTEAUX

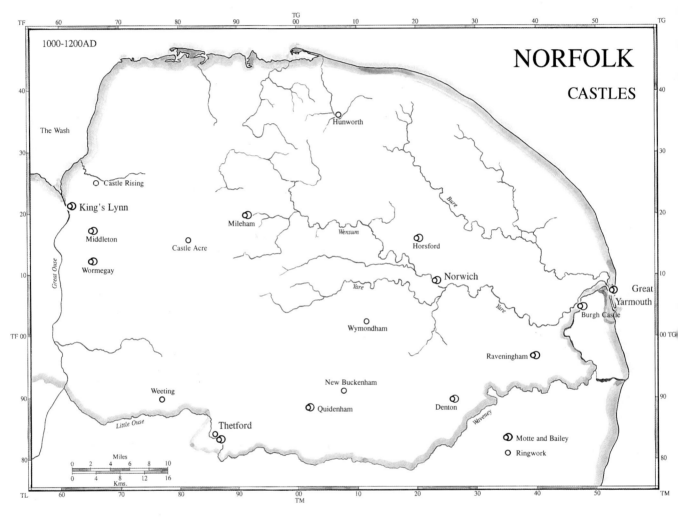

23. Norman Castles.
Map by Hoste Spalding.

Châteaux Normands du Norfolk.

The new Norman king William I imposed his power on an English population by building castles. In fact, on arriving in England on 28 September with a fleet of ships, 7000 men, and many horses, the first thing the Norman invaders did was to raise a wooden castle at Pevensey that very evening. A couple of days later, they built one at Hastings (20), before the famous battle. William's astonishingly quick and successful conquest of England was in part due to the lack of English castles with garrisons of well-armed men, as well as to the wiping out of most of the English overlords at the battle of Hastings. From Hastings the Normans went to Dover, where they built a castle within the fortified Saxon town. They moved on

Le nouveau roi normand, Guillaume Ier, sut imposer son pouvoir sur la population anglaise en construisant des châteaux. Lorsqu'il débarqua à Pevensey avec 7000 hommes et leurs chevaux, son premier geste fut en effet de construire un château en bois. Quelques jours plus tard, un autre fut construit à Hastings (20), avant la célèbre bataille. L'étonnante et rapide conquête de l'Angleterre par Guillaume fut due en partie à l'absence de châteaux anglais et de garnisons de soldats armés, ainsi qu'à l'anéantissement de la plupart des lords anglais sur le champ de bataille. De Hastings, les Normands partirent vers Douvres, où de nouveau ils construisirent un château à l'intérieur de la ville saxonne fortifiée. Puis ils allèrent

towards London, and after his coronation on Christmas Day in Westminster Abbey, the king withdrew to Barking while fortifications were raised in London: these were Baynard's castle in the south-west, Montfichet to the north, and the Tower of London in the south-east. All these were first made of wood. Early in 1067, William made a military expedition into East Anglia, and many other castles were built, including one in Norwich. It is not an exaggeration to say that castles kept William's power intact - when he returned to Normandy in March 1067, the castle at Dover held out against a revolt by the men of Kent led by Eustace, Count of Boulogne. William saw to it that remote parts of the country were fortified in 1069 - he himself rode to all corners of the kingdom. The quantity of castles, and the labour they imposed on the local population was lamented by the chroniclers. The Anglo-Saxon Chronicle records for the year 1067: 'And Bishop Odo and Earl William (fitz Osbern) stayed behind and built castles here far and wide throughout the country and distressed the wretched folk, and always after that it grew much worse'.

Given the relatively small number of Normans in a hostile and well-populated country, the building of castles was the chief way the king could keep control. They were a perpetual reminder of royal and baronial authority, and an effective way of keeping an eye on the English population. William made as sure as he could of the loyalty of the castle garrisons by making his closest followers his tenants-in-chief, and by giving them lands throughout his kingdom. Ralph de Tosny, for example, had lands in Hertford, Hereford, Berkshire, Gloucester, Worcester and Norfolk. De Warenne had lands in twelve counties and made a base at Castle Acre in Norfolk. Despite this, there were of course sporadic revolts against him by his own men, with the support of disgruntled Englishmen, as indeed at Norwich in 1075.

Although William the Conqueror only had a wooden castle in Norwich, his successor saw to it that the castle was a potent symbol of royal power, a prestigious royal palace, conceived on a grand scale. William's retainers were rewarded with lands throughout Norfolk where they built great earthworks and strongholds for themselves. The building of castles must have made the most dramatic impact on the landscape. Although there were many earthworks and fortifications, dating back to prehistoric times, the first stone castles to be seen in Norfolk were introduced by the Norman invaders, expressing very forcibly the power of the new ruling classes.

The impact of these castles was all the greater where huge mottes or mounds of earth were raised first. Wooden castles were then erected on top, as shown so graphically on the Bayeux Tapestry (20). Wood was used so that they could be built with speed, but also to allow the earth in the mottes time to settle, before the building in stone began. This is demonstrated at Norwich, where the motte had to be extended to take the massive stone keep built as a royal palace. The extension was not given enough time to settle and this weakness affects the building to this day, resulting in cracks on the east face.

The distribution of Norman castles in Norfolk (23) is

sur Londres, où Guillaume fut couronné le jour de Noël dans l'Abbaye de Westminster. Le nouveau roi se retira ensuite à Barking pendant que des fortifications étaient construites à Londres. Celles-ci étaient probablement le Château de Baynard au Sud-Ouest, Montfichet au Nord, et la Tour de Londres au Sud-Est. Toutes ces fortifications furent d'abord en bois. Au début de l'année 1067, Guillaume organisa une expédition militaire dans la région d'East Anglia, et beaucoup d'autres châteaux furent construits, tel celui de Norwich. Aucune exagération à dire que la présence de ces châteaux à travers le pays permit le maintien du pouvoir royal. Lorsqu'en Mars 1067 Guillaume retourna en Normandie, le château à Douvres tint bon devant la révolte des hommes du Kent, avec à leur tête Eustace, comte de Boulogne. Guillaume ordonna la fortification des endroits les plus reculés du pays et vers 1069, l'ensemble de l'Angleterre était fortifiée. Lui-même voyagea aux quatre coins du pays pour s'assurer que ses ordres étaient respectés. La quantité de châteaux et le travail imposé aux populations locales furent dénoncés par les chroniqueurs. La Chronique Anglo-Saxonne rapporte pour l'année 1067: 'Et l'Evêque Odon et le Comte Guillaume (William Fitzosbern) restèrent derrière et construisirent des châteaux ici et à travers tout le pays, affligèrent les pauvres gens, et après leur passage tout ne fit qu'empirer'.

Avec une petite proportion de normands dans un pays anglais peuplé et hostile, la construction de châteaux fut le moyen principal pour le roi de garder le contrôle. Ils étaient comme un perpétuel rappel du pouvoir royal et seigneurial, et un moyen effectif pour garder à vue la population locale. Guillaume s'assura de la loyauté des garnisons des châteaux en faisant de ses partisans ses tenants-en-chef et en leur donnant des terres dans tout le royaume. Ralph de Tosny, par exemple, possédait des terres dans les régions de Hertford, Hereford, Berkshire, Gloucester, Worcester et Norfolk. Les terres des De Warenne s'étendaient sur douze comtés et ils firent de Castle Acre leur résidence principale dans le Norfolk. Malgré ceci, des révoltes sporadiques de la part des propres hommes de Guillaume, avec l'aide d'anglais mécontents, s'organisèrent telles celle de Norwich en 1075.

Bien que Guillaume le Conquérant ne possédait à Norwich qu'un château de bois, son successeur le vit cependant comme un puissant symbole du pouvoir royal et un prestigieux palais conçu sur une grande échelle. Les autres suivants de Guillaume furent également remerciés par des terres dans le Norfolk où ils construisirent pour eux-mêmes des fortifications de terres et des résidences fortifiées. La construction de châteaux eut certainement un effet spectaculaire sur le paysage du Norfolk. Des ouvrages de terre et des fortifications datant de la Préhistoire étaient déjà présents, mais les envahisseurs normands introduisirent les châteaux en pierre, exprimant et imposant ainsi de force le pouvoir de la nouvelle classe dirigeante. L'impact de ces châteaux fut d'autant plus grand qu'il fallut d'abord construire d'énormes mottes ou tertres artificiels en terre. Comme le montre la Tapisserie de Bayeux des châteaux en bois étaient ensuite érigés en

roughly along three parallel lines, a western line, a central line, and an eastern line. This distribution is not fortuitous, but a deliberate attempt by the Normans to control strategic points, such as town defences, roads and existing English strongholds.

Each castle had its own character and idiosyncrasies, sometimes using existing fortifications, as at Thetford where a motte was built inside an Iron Age fort (the fort functioning as the bailey), or Burgh Castle where a motte was raised within the Roman fort.

The other major towns, Lynn (founded by the Normans) and Great Yarmouth, also had castles. A stone tower at Yarmouth has now vanished, but a probable motte and bailey at Lynn was incorporated within later town defences and surmounted by the Red Mount Chapel in the 15th century.

MOTTE AND BAILEY CASTLES
NORWICH CASTLE

The motte is situated strategically at the end of an escarpment which lies to the south along the river valley. At the foot of this ran the major route to the Saxon town of Norwich from the south, from Suffolk, London and beyond. The first castle in Norwich was certainly built by 1075, perhaps in the form of a motte with a wooden tower on top of it. That year saw the rebellion against King William by Ralph Guader, Earl of Norfolk and Suffolk. Ralph married Emma, the daughter of the Norman William fitz Osbern, one of William's followers. The wedding-feast, according to the Anglo-Saxon Chronicle, was held in Norwich, and the Chronicle even records this in verse: 'There was that bride-ale/ That was many men's bale'. The bridegroom took the opportunity to plot against the king, with Roger of Breteuil, his new brother-in-law, and Waltheof, son of Siward, Earl of Northumbria. As Ralph was half Breton, they were able to stir up many of the Bretons who had settled in England since 1066. They also tried to get men from Denmark to join their cause, but the rebellion failed, thanks to the swift response of William's deputies, even though the king was in Normandy at the time. Ralph left by ship from Norwich to try to hasten the Danish supporters, leaving his wife behind in the castle. She held the castle alone until she was given safe-conduct out of England with her men. In the autumn of 1075, the Danes sent two hundred ships in support of the rebellion. King William returned to England and frightened them off. They departed without fighting. The other rebels were captured, and Waltheof was beheaded in May 1076 in Winchester. The Bretons (Ralph's men) who were caught, were punished, and the Anglo-Saxon Chronicle again breaks into verse: 'Some of them were blinded/And some banished from the land/And some were put to shame/Thus were the traitors to the king/Brought low'. William was determined to pursue the Bretons, and attacked the castle at Dol, in Brittany, where the rebellious Ralph had set up his base, in September 1076. He returned empty-handed, having lost men, treasure and horses there. It was a rare defeat for William.

haut de ces mottes (20). L'utilisation du bois permettait une construction rapide, mais donnait également à la terre le temps de se tasser en attendant la véritable construction en pierre. À Norwich, la motte dut être étendue pour pouvoir accueillir le massif donjon. Cette extension ne laissa pas le temps à la terre de se reposer et rendit la motte moins solide. Cette 'faiblesse' se reflète aujourd'hui dans les lézardes du côté Est du donjon.

Les châteaux normands du Norfolk (23) se répartissent sur trois lignes parallèles: une à l'Ouest, une au Centre et une à l'Est. Cette répartition n'était pas fortuite, mais une tentative délibérée des Normands pour contrôler les points stratégiques, tels que les défenses des villes, les routes et les fortifications anglaises déjà en place.

Chaque château avait ses propres caractéristiques et particularités. Mais on utilisait quelquefois les fortifications existantes comme à Thetford où une motte fut construite à l'intérieur d'un fort datant de l'Age du Fer (le fort était utilisé comme enceinte extérieure), ou encore à Burgh Castle où une motte fut édifiée à l'intérieur d'un fort Romain.

D'autres villes telles que Great Yarmouth et King's Lynn possédaient également des châteaux. Une tour en pierre, maintenant disparu, se trouvait à Yarmouth. Et à Lynn une motte et une cour furent incorporées un peu plus tard au système défensif de la ville, puis surmontées par une chapelle, Red Mount, au XVème siècle.

CHÂTEAUX ET MOTTES
LE CHÂTEAU DE NORWICH

La motte est située à la fin d'un escarpement, au Sud de la ville, le long de la vallée, et donc à un endroit stratégiquement important. Longeant celle-ci, passait la route principale du Sud partant de Londres et au-delà, traversant le Suffolk pour arriver à la ville saxonne de Norwich. Le château fut très certainement construit vers 1075 avec une tour en bois au sommet de la motte. 1075 vit aussi la rébellion de Ralph Guader, comte du Norfolk et Suffolk, contre William, roi d'Angleterre. Cette année là Ralph se maria avec Emma, fille du normand Guillaume Fitz Osbern, l'un des suivants du roi. Le repas de noces se tint à Norwich, et la Chronique Anglo-Saxonne décrivit ainsi cette fête: 'There was that bride-ale, that was many men's bale'. La bière coula à flots en l'honneur des mariés, mais les effets de l'alcool délièrent les langues et les esprits et menèrent à la formation d'une révolte.

Le marié profita de l'occasion pour comploter contre le roi, avec Roger de Breteuil, son nouveau beau-frère, et Waltheof, fils de Siward, comte de Northumbria. Ils essayèrent de rallier à leur cause les Bretons qui s'étaient installés depuis 1066 en Angleterre (Ralph était pour moitié Breton) et le roi du Danemark. Guillaume le

24. Norwich Castle motte and Keep.
Photo - Norfolk Museums Service.

Le Château de Norwich, la motte et le Donjon.

The site of Norwich Castle was well chosen, utilising the natural escarpment to enhance its strategic importance. In the townscape of Late Saxon Norwich, with low one-storey houses of wattle and daub or timber, and many churches (some of wood, others of stone), the motte alone must have dominated, even before the great stone keep was built (24). The keep still towers over the modern city (despite the construction of the Castle Mall shopping centre). At 93' by 108' (28m by 33m), and 70' high (21.5m), it is one of the largest Norman keeps in England. The surrounding castle fee, plus the extensive New Borough to the west, founded by Ralph Guader before his downfall in 1075, made a very emphatic statement about the power of the new king and his lords. Together with the cathedral precinct, these areas virtually eradicated the core of the Saxon town, and imposed on it a Norman plan (81). In addition, the use of imported stone from Caen in Normandy was a novelty in itself, and when the cathedral, the keep, churches and houses of the wealthy began to be built in this pale prestigious stone, the townscape must have been transformed. The effect must have been breathtaking to the ordinary citizens of Norwich.

The stone keep was begun perhaps as early as 1094 under William Rufus. However, the motte extension would have had to be ready (and the earth settled) before the building

Conquérant était en Normandie à ce moment là. Mais leur tentative échoua tout de même grace aux garnisons de soldats en poste dans tout le royaume. Ralph s'enfuit à bord de ses bateaux amarrés à Norwich, laissant sa femme derrière lui, seule au château! Elle occupa le château jusqu'à ce que le roi lui accorda finalement un sauf-conduit pour quitter l'Angleterre, avec ses hommes et elle rejoignit son mari, réfugié en Bretagne. Le roi Guillaume revint en Angleterre et les autres rebelles furent capturés. Les Danois envoyèrent cependant deux cents bateaux, qui arrivant trop tard, et, menacés par Guillaume, repartirent sans même se battre. Les Bretons furent aussi faits prisonniers. Waltheof fut décapité en Mai 1076, à Winchester. La Chronique Anglo-Saxonne de nouveau décrit cet épisode: 'Certains étaient aveugles, d'autres bannis des terres, et on fit honte à certains, et les traites furent châtiés'.

Cependant Guillaume était déterminé à poursuivre les Bretons, et attaqua le Château de Dol (Bretagne) en 1076. Mais il en revint les mains vides, ayant perdu hommes, argent et chevaux. Ce fut une des rares défaites de Guillaume.

Le site choisit pour construire le château était évidemment significatif. On utilisa l'escarpement naturel pour renforcer l'importance stratégique de l'endroit. Le paysage

work began, and there may have been a gap of a year or two before the foundations could be laid. Nonetheless, the sheer scale of the motte implies that the grand size of the keep had already been decided on by the architect and his royal patron. The castle was built at the same time, and by the same masons, as the cathedral, as three groups of identical masons' marks have been identified: one group in the east arm of the cathedral, and the basement of the keep; the second in the galleries of the east bays of the nave, and in certain wall-passages of the keep; and the third in the west bays of the nave and elsewhere in the keep's wall-passages. The cathedral's foundation stone was laid in 1096, but preparations were being made in the form of outlines in the ground from as early as 1094 and maybe even from 1091 (the year Herbert de Losinga was enthroned as bishop of East Anglia).

The likelihood that the same masons worked on the cathedral and the keep is borne out by certain shared features, such as the quality of the masonry and the use of Caen stone for the facings of the walls around a flint core. It makes sense that Caen stone was brought for both buildings at the same time, given the massive expense involved. The keep and the cathedral both have wall-passages (the walls are 10' or 3m thick in the keep, and 6'3" or 1.87m thick in the cathedral). Other similarities include the deeply splayed windows, the nook shafts, and the chimney with three flues in the west wall of the tower at the north end of the bishop's palace, which is strikingly close to the chimney in the south wall of the castle keep. However, while the same masons may have worked on the two projects, it seems that different sculptors were employed, as the carving of the magnificent doorway to the keep, and the capitals of the chapel apse in the south-east corner of the keep are quite distinct from the cathedral sculpture.

The keep was well finished and furnished by 1122 when Henry I spent Christmas there. The building work may have been completed by 1110 but the interior would have taken some time to plaster and decorate in a style fitting to the purpose of the building. The keep was built as a royal palace, which is reflected in the complexity of the architecture and the sumptuous decoration both outside and in. Because it has suffered over the centuries, it is easy to miss how prestigious and important a building it is. Recent detailed study of the building has shown how accurately the exterior was re-faced in Bath stone in 1834-9. Evidence of the building before the re-facing is found in water-coloured drawings by the architect Francis Stone made in 1819-20 (25). Despite the poor condition of the fabric at that date, the drawings clearly show the same arrangement of decorative arcading on the facades, with pilasters and string-courses, and detailed measurements of the building today show that the decoration is virtually identical with Stone's drawings.

The major difference in the re-faced keep is that the whole exterior is now faced in stone, whereas the original building was flint up to the first floor on the exterior. This was not a way of saving money on Caen stone but a refinement of design intended to show the onlooker the

de Norwich de la fin de la période saxonne comprenait des maisons tout en rez-de-chaussée construites en clayonnage enduit de torchis et un grand nombre d'églises (certaines en bois, d'autres en pierre). La motte seule devait dominer, et cela bien avant même que le donjon ne fut construit. En dépit de la construction du centre commercial 'Castle Mall', le donjon (24) domine toujours la ville aujourd'hui avec ses 28 mètres sur 33 de surface et avec une hauteur de 21.5 mètres c'est l'un des donjons les plus grands d'Angleterre. Les alentours du château, plus l'expansif New Borough (Nouveau Bourg), crée par Ralph Guader avant sa chute de 1075, donnaient une idée précise de l'étendue du pouvoir du nouveau roi et de ses seigneurs (voir Les Villes). Avec la cathédrale, ces quartiers détruirent le coeur de la ville saxonne, et imposèrent un plan de ville normand (81). L'utilisation de pierre importée de Caen dans la construction était une nouveauté en elle-même, et lorsque la cathédrale, le donjon, les églises et les maisons des familles riches commencèrent à être construits avec cette pierre pale et prestigieuse, le paysage dut se trouver transformé. L'effet visuel dut très certainement couper le souffle à la population de Norwich.

La construction du donjon en pierre commença peut être dès 1094, sous le règne de Guillaume le Roux. Cependant la motte dut être agrandie et il fallut attendre le tassement de la terre avant que ne commença la construction. Un délai d'un ou deux ans fut nécessaire. Vu l'échelle de ce projet, celui-ci avait dû être décidé bien à l'avance par les architectes et leur royal patron. Le château fut construit certainement en même temps que la cathédrale et par les mêmes maçons. Trois groupes de signatures ont été identifiés. Le premier groupe se trouve du côté Est de la cathédrale et dans le rez-de-chaussée du donjon. Le second apparait dans les baies Est de la nef de la cathédrale et dans certains endroits du chemin de ronde du donjon. Enfin le troisième groupe de signatures est situé dans les travées Ouest de la nef et dans le chemin de ronde. Pour préparer le terrain et aider les maçons à la construction, les contours de la cathédrale furent tracées au sol dès 1094, voire même 1091, l'année où Herbert de Losinga devint évêque d'East Anglia. Mais la première pierre de fondation ne fut officiellement posée qu'en 1096

Il est fort probable que les mêmes maçons travaillaient à la fois sur la cathédrale et au donjon, car des caractéristiques communes ont été repérées sur ces deux bâtiments, telle que la qualité de la maçonnerie et l'utilisation de la pierre de Caen comme revêtement du silex. Il était logique que la pierre de Caen fût utilisée pour les deux constructions car les coûts impliqués (transport par exemple) étaient très élevés. Le donjon possède un chemin de ronde et la cathédrale possède des galeries de circulation. Les murs sont d'une épaisseur de 3 mètres dans le donjon et de 1.87 mètres dans la cathédrale. D'autres similarités comprennent les fenêtres ébrasées et les colonnettes d'angle. La cheminée avec ses trois conduits dans le mur Ouest de la tour du palais épiscopal rappelle étrangement la cheminée du donjon (côté Sud). Cependant, si les mêmes ouvriers travaillaient sur les deux projets, différents artisans étaient employés au travail de sculpture. La port

25. Watercoloured drawing of Norwich Castle Keep by the architect Francis Stone in 1819-20 (South face).
Photo - Norfolk Museums Service and Norwich City Council.

Aquarelle du Donjon du Château de Norwich par l'architecte Francis Stone (1819-20) (façade Sud).

complexity of the building. The arcaded facades reflected the living areas inside at first floor level, and the flint indicated the basement storage area. In a similar way, different levels in the arcading at the south-west corner indicate the presence of the mezzanine floor within (above the privy chamber). The sub-division of the main floor into probably as many as seven rooms, and the complex geometric relationships of the parts to the whole also reflect the prestige of the building. Indeed, the keep's external decoration and internal arrangements cannot be bettered even by the White Tower at the Tower of London. The accommodation on the main floor provided for a great hall, two privy chambers (one of which may have been turned into a pantry near a small kitchen in the north-west corner, when the design was changed, and a chimney was built in what had started in the basement as a spiral stairway), garderobes (lavatories), a great chamber, a chapel and a store room, off which was the well-room. The well was 130' (40m) deep. The small chapel may only have been used by the constable and his family, or the king when visiting. The rest of the garrison might have worshipped in St Nicholas' Chapel, outside the keep, on top of the mound. Here there were also workshops, a sheriff's building (until the Shire Hall was built in the outer bailey), and a separate kitchen. Norwich Castle is

d'entrée et les châpiteaux de la chapelle du donjon (coin Sud-Est) présentent clairement des différences avec les sculptures de la cathédrale.

Le donjon était terminé et meublé en 1122 lorsqu' Henri Ier vint passer Noël à Norwich. La construction elle-même dut s'achever vers 1110 mais la décoration intérieure prit quelques années de façon à donner un style correspondant au rôle que l'on attendait du château. Le donjon était un palais royal, ce qui se reflète dans la complexité de l'architecture et les somptueuses décorations aussi bien à l'intérieur qu'à l'extérieur du château. Parce que ce palais a souffert au fil du temps, il est facile d'oublier l'importance et le prestige de ce bâtiment. De longues recherches ont démontré de quelle façon l'extérieur du donjon avait été recouvert de pierre en provenance de Bath vers 1834-39. L'architecte Francis Stone montre dans ses dessins de 1819-1820 l'état du donjon avant sa restauration (25). En dépit du mauvais état de la pierre à cette époque, les dessins montrent clairement les mêmes arrangements de décoration des façades avec des arcades et des pilastres. Les décorations que l'on peut voir aujourd'hui correspondent exactement à celles dessinées par Stone.

L'ensemble extérieur du donjon fut recouvert de pierre

far more elaborate than any of the Norman castles which were its antecedents, such as the Tower of London and Colchester Castle. Its lavishness expresses the power of the king, and the optimism of the new regime. It is hard now to imagine the interior of the building in its heyday, but the spine wall was probably decorated with arcading, and the internal walls of privy chamber and great chamber may well have been plastered and decorated with wall-paintings, or possibly painted to look like ashlar as at the cathedral.

Recent excavations in the castle bailey, prior to the Castle Mall development, have uncovered evidence of the early castle, and of the fortifications of the 1220s, the massive barbican ditch and gatehouse. Further excavations on the bridge to the motte revealed Caen stone facings beneath the 19th-century flint cladding, proving that the bridge is contemporary with the 12th-century fortifications. The bridge was probably built in the 1120s, and gatehouses were added in the 1220s.

The castle in Norwich was clearly the foremost secular building in Norfolk, as befits a royal palace. But at 82' (25m) above the bailey, the conical motte of **Thetford Castle** (26), was the highest in the county, and its earthworks the most extensive in East Anglia (after

alors que le bâtiment originel était en silex jusqu'au premier étage. L'utilisation de deux materiaux (silex et pierre en provenance de Caen) voulait montrer à la population la complexité du donjon. Au premier étage, les arcades indiquaient le lieu d'habitation du seigneur, et le silex délimitait les réserves au rez-de-chaussée. De la même façon, différents niveaux d'arcades dans le coin Sud-Ouest indiquaient le sol d'une mezzanine (au-dessus de la chambre privée). On peut dénombrer jusqu'à sept pièces au premier étage et l'interactivité entre elles reflètent encore le prestige du bâtiment. Même la Tour de Londres ne peut rivaliser avec le château de Norwich. Le château comportait donc un grand hall, deux chambres privées (dont l'une devint peut être un garde-manger à côté de la cuisine dans le coin Nord-Ouest, lorsque la disposition des pièces fut changée et qu'une cheminée fut construite à l'emplacement de ce qui correspondait au rez de-chausée à un escalier en colimaçon), les toilettes, une pièce commune, une chapelle, une réserve dans laquelle se trouvait le puits. Le puits avait 40 mètres de profondeur. La petite chapelle était utilisée par le conétable et sa famille, ou le roi en visite. Le reste de la garnison devait aller se recueillir dans la chapelle Saint Nicolas, à l'extérieur du donjon, en haut du tertre. Là se trouvaient également les ateliers, la maison du shérif (avant que celle-ci ne fut transférée dans une des cours extérieures) et une cuisine. L'ensemble était entouré d'une palissade. Le

26. Thetford Castle.
Photo - Derek A. Edwards, Field Archaeology Division, Norfolk Museums Service.

Château de Thetford.

Norwich). It was placed strategically where the Icknield Way crossed the rivers Thet and the Little Ouse. It was probably raised by the earl of East Anglia soon after 1066 - either Ralph Guader before his revolt in 1075, or Roger Bigod, the next earl. Despite the impressive motte, limited excavations have produced no clear evidence of a stone building.

Smaller earthwork castles with wooden defences and buildings belonging to noble families were built at various sites in the late 11th or 12th century, some during the Anarchy of Stephen's reign in the early 1140s. Under the year 1137, the Anglo-Saxon Chronicle records another heart-felt cry against the building of castles: 'For every great man built him castles and held them against the King and they filled the whole land with these castles. They surely burdened the unhappy people of the country with forced labour on the castles'.

The Norman de Ferrers family built **Wormegay Castle** (27) on a low flat motte with an outer bailey, near a

château de Norwich est beaucoup plus élaboré que les autres châteaux normands construits un peu plus tôt (tels la Tour de Londres ou le Château de Colchester). Ses décorations expriment avec force le pouvoir du roi et l'optimisme du nouveau régime. Il est difficile d'imaginer l'intérieur du château au temps de sa splendeur, mais le mur central était probablement décoré avec des arcades et les murs des chambres et du Hall pouvaient très bien être recouverts de plâtre et peints, peut être pour leur donner un style proche de celui de la cathédrale. Des fouilles archéologiques récemment effectuées ont mis en évidence les premières années du château, ses fortifications de 1220, le fossé massif et les tours de garde. Les fouilles entreprises sur le pont qui conduit à la motte ont révélé que celui-ci fut également construit avec de la pierre en provenance de Caen et recouvert de silex au XIXème siècle. Il fut probablement construit vers 1120 et les tours furent ajoutées vers 1220. Il est donc contemporain des fortifications.

Le château de Norwich était le bâtiment séculier le plus

27. Wormegay Castle.
Photo - Derek A. Edwards, Field Archaeology Division, Norfolk Museums Service.

Château de Wormegay

28. Horsford Castle.
Photo - the late H. Frederick Low of the Norfolk and Norwich Aero Club
(Aerial Archaeology Publications)

Château de Horsford.

causeway. They seem to have chosen a new site, perhaps for strategic reasons, far to the west of the Middle Saxon monastic site and church, rather than building over an existing village. The medieval village then grew up around the castle. **Horsford** (28) was probably raised by the Norman Walter of Caen, a follower of Robert Malet, Lord of Eye in Suffolk (the Malet family came from Graville-Sainte-Honorine in Normandy). It had a circular inner bailey, with a slightly overlapping outer circular bailey. It has recently been ploughed out. The buildings and defences were of timber. The castle at **Denton** (29) has a circular motte with a rectangular bailey, now both covered with trees.

Other stone keeps were built. One at Mileham built by the fitz Aleyns had a square stone keep on a motte flanked by two concentric baileys. Only the mottes are visible today at **Middleton** (30,31), **Raveningham** and **Quidenham**, but excavation has detected traces of a bailey on the south-east of the motte at Middleton.

célèbre du Norfolk comme il se doit pour un palais royal. Mais avec ses 25 mètres de hauteur et ses défences les plus vastes d'East Anglia la motte conique du **Château de Thetford** (26) était la plus haute du comté. Le château fut placé stratégiquement où la route de Icknield croise les rivières Thet et Little Ouse. Il fut probablement construit par le comte d'East Anglia peu après 1066, ou par Ralph Guader avant sa révolte de 1075, ou encore par Roger Bigod, le deuxième comte. Malgré l'impressionnante motte, les fouilles archéologiques n'ont pu déterminer la présence d'un bâtiment en pierre.

D'autres châteaux, appartenant à des familles de nobles et de plus petite dimension avec des défenses en bois et des dépendances, furent construits sur différents sites à la fin du XIème et XIIème siècles, et certains notamment durant l'anarchie des années 1140. La Chronique Anglo-Saxonne de 1137 lança encore un véritable cri du coeur contre la construction de ces châteaux: 'Chaque grand homme se fit

29. Denton Castle.
Château de Denton.
Photo - Derek A. Edwards, Field Archaeology Division, Norfolk Museums Service.

30. Middleton Castle.
Château de Middleton.
Photo - Derek A. Edwards, Field Archaeology Division, Norfolk Museums Service.

31. Middleton Castle gatehouse, bailey and keep in the 1140s.
Reconstruction drawing by Susan White, Field Archaeology Division, Norfolk Museums Service.

Château de Middleton, avec son donjon, sa tour de garde et sa cour, vers les années 1140.

RINGWORK CASTLES

The Normans also constructed ringwork castles. Buildings inside the rampart were well protected by a circular rampart and a ditch on the outside. One example is Red Castle, Thetford, built in the earlier 12th century, edged by a small bailey on one side, which was located astride the Late Saxon town defences. Castle Hill, Hunworth, and Moot Hill, Wymondham may also be of this type.

CASTLE RISING CASTLE (32)

William d'Albini junior built his castle around 1160. He married Alice, widow of Henry I, in 1138, and in 1141 he was created earl of Lincoln and Sussex or Arundel. With a royal marriage, he perhaps felt it appropriate to model his keep on the royal palace in Norwich. The keep is clearly based on Norwich, though it is smaller and less elaborate. It is set within impressive earthworks of over 12 acres (4.8 hectares). The outer bailey lies to the east of the inner bailey, and the visitor would cross a bridge into the inner bailey, through a gatehouse. Fragments of the curtain wall survive on top of the ramparts. Within the elaborately decorated forebuilding, the original entrance stairs to first floor level survive intact (unlike at Norwich where they are re-built). The keep itself is 78'6" (23m) by 68'6" (27m), but only 50' (15m) in height. Inside on the main floor, there is a hall, a great chamber, a chapel, a

construire des châteaux et les donnèrent au roi, et ils remplirent les terres de ces châteaux. Ils rendirent la vie intenable aux pauvres gens du pays et les obligèrent à travailler à la construction de ces édifices'.

La famille des de Ferrers fit construire **le Château de Wormegay** (27) avec une cour extérieure sur une motte relativement plate à l'Ouest d'un site monastique et d'une église saxonne. On présume qu'ils choisirent ce nouvel endroit pour des raisons stratégiques plutôt que de construire sur un site déjà existant. Le village médiéval s'étendit ensuite tout autour du château. **Le Château de Horsford** (28) fut probablement construit par Walter de Caen, un suivant de Robert Malet, seigneur de la paroisse de Eye dans le comté du Suffolk. Ce château possédait deux cours, la deuxième se superposant légèrement à la première. Des fouilles effectuées récemment ont déterminé la présence de bâtiments et de défenses en bois. Mais le château a maintenant disparu à cause de labours effectués sur le site. **Le Château à Denton** (29) possédait une motte circulaire avec une cour rectangulaire. Il est maintenant recouvert d'arbres. D'autres donjons en pierre furent aussi construits. **Le château de Mileham**, construit par Fitz Aleyns, avait un donjon rectangulaire sur une motte flanquée de deux cours concentriques. Mais à **Middleton**, **Raveningham** et **Quidenham**, seules les mottes sont encores visibles. À Middleton (30,31), des fouilles ont mis en évidence la trace d'une cour au Sud-Est de la motte.

32. Castle Rising Castle.

Photo - Derek A. Edwards, Field Archaeology Division, Norfolk Museums Service.

Château de Castle Rising.

33. Castle Acre Castle.
Château de Castle Acre.
Photo - Derek A. Edwards, Field Archaeology Division, Norfolk Museums Service.

kitchen, and garderobes, with a priest's room on the floor above, over the chapel.

CASTLE ACRE CASTLE (33,34)

The Castle at Castle Acre was the headquarters of the de Warennes, Earls of Surrey, for their Norfolk estates. The castle and its earthworks cover some 7 acres (2.8 hectares). Their magnificent scale reflects the power of the de Warenne family. William de Warenne, whose family came from Varennes in Normandy, was one of William's most loyal followers and he had fought at Hastings. He was rewarded for his loyalty with vast estates in more than twelve counties. His chief seat was at Lewes in Sussex, and it was here that he established the first Cluniac house in England in 1077 (see Monasteries and Churches). He also had castles in Reigate in Surrey and Conisborough in Yorkshire. His first wife, Gundrada, died in childbirth on 27 May 1085 at Castle Acre. At Easter 1088, William was created Earl of Surrey, after supporting William II against Odo, Bishop of Bayeux, and Robert, Count of Mortain who had tried to sieze the crown of England. He died on 24 June in the same year from wounds he got at the siege of Pevensey Castle.

His son by Gundrada, also called William, succeeded him. He served Henry I in administrative and judicial matters, and travelled in England and Normandy. He confirmed the charter issued by his father just before his death to

CHÂTEAUX ET FORTIFICATIONS

Les Normands construisirent également des châteaux avec des fortifications circulaires. Les bâtiments étaient protégés par un rempart circulaire et un fossé à l'extérieur. Le château à Thetford, 'Red Castle', fut construit au début du XIIème siècle, avec une petite cour qui se trouvait sur les défenses saxonnes de la ville. Les châteaux à Hunworth (Castle Hill) et à Wymondham (Moot Hill) semblent être du même type.

LE CHÂTEAU DE CASTLE RISING (32)

Guillaume d'Albini (junior) construisit ce château vers 1160. En 1138, il épousa Alice, veuve d'Henri Ier d'Angleterre, et en 1141 il devint comte de Lincoln et de Sussex (ou Arundel). Avec un mariage de cet ordre, il sentit peut être approprié de copier son chateau sur celui de Norwich. Le donjon est à l'intérieur d'impressionnantes fortifications de terre qui s'étendent sur 4.8 hectares et il fut très clairement influencé par Norwich, mais d'une façon moins élaborée et à une échelle plus petite. La cour extérieure se trouve à l'Est de la cour intérieure. Les visiteurs devaient traverser un pont, puis une porte gardée pour arriver dans ces cours. Des pans du mur rideau ont survécu en haut du rempart. L'escalier d'entrée pour atteindre le premier étage est toujours intact (alors que l'escalier de Norwich fut reconstruit). Le donjon couvre une superficie de 23 mètres sur 27 et mais fait seulement 15 mètres de haut. A l'intérieur, à l'étage, on trouvait un hall, une salle commune, une chapelle, une cuisine, des toilettes, et une chambre réservée pour un prêtre juste au dessus de la chapelle.

LE CHÂTEAU DE CASTLE ACRE (33,34)

Le château de Castle Acre était le quartier général dans le Norfolk de la famille De Warenne, comtes du Surrey. Le château et son enceinte couvraient 2.8 hectares. L'échelle du château reflète le pouvoir de la famille de Warenne. Cette famille immigra de Varennes en Normandie et Guillaume de Warenne fut l'un des plus fidèles partisans de Guillaume le Conquérant. Il prit part notamment à la bataille de Hastings. Il fut remercié de sa loyauté par la donation de terres et de domaines dans plus de 12 comtés. Sa résidence principale était à Lewes, Sussex, où il établit la première maison Clunisienne d'Angleterre, en 1077 (voir Monastères et Églises). Il possédait également des châteaux à Reigate (Surrey) et Conisborough (Yorkshire). Sa première femme, Gundrada, mourut en donnant

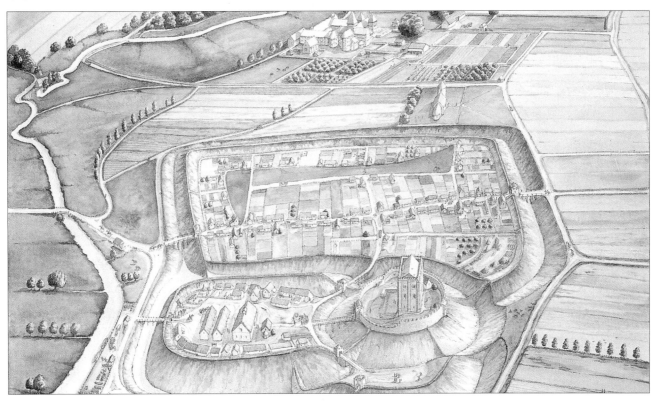

34. Castle Acre Castle and Priory, just before 1175.
Watercolour by Susan White, Field Archaeology Division, Norfolk Museums Service.

Aquarelle du Château de Castle Acre et son Prieuré, juste avant 1175.

found the Cluniac house at Castle Acre. This William died in 1138, and rather touchingly, was buried at his father's feet in the chapter house of Lewes Priory. His son was yet another William, who was killed on the second Crusade in 1147/8. These three Williams all lived in the Upper Ward of the castle (the area around the castle), but from about 1180 onwards, the family moved to the Lower Ward (the defended area between the castle and the river).

The first William had built a stone country house here in the late 11th century. Built of local chalk blocks and flint, and stone from Barnack in Cambridgeshire, it was a grand two-storey building, with a ground floor entrance and windows on both floors. There was even a wall fireplace on the first floor, a rarity outside royal buildings. The house was set within a ditch and a bank, probably with a wooden palisade, and approached through a timber gate. Its slight defences, and the ground floor entrance, suggest it was built for comfort rather than defence. William obviously considered the area peaceful enough only twenty years after the Conquest to build a country house rather than a castle. The house was most likely finished by the time Gundrada had her baby there in May 1085.

William's son or his grandson William converted the house into a keep in a most ingenious way. First the house had its entrance and windows blocked, and all the floors removed. The shell then had its walls thickened. At the same stage, a flint and chalk curtain wall was built around the top of the bank which encircled the Upper Ward and the house, and the timber gatehouse was

naissance à leur fils Guillaume, le 27 May 1085 à Castle Acre. À Pâques 1088, Guillaume devint comte de Surrey, après avoir aidé Guillaume le Roux à battre Odon, évêque de Bayeux et Robert, comte de Mortain qui tentaient de lui ravir la couronne d'Angleterre. Guillaume mourut le 24 Juin la même année d'une blessure obtenue durant le siège du château de Pevensey.

Son fils, Guillaume, lui succéda. Il servit Henri Ier dans divers domaines administratifs et judiciaires, et voyagea à travers l'Angleterre et la Normandie. Il confirma la charte éditée par son père juste avant sa mort, qui indiquait la fondation d'une maison Clunisienne à Castle Acre (voir Monastères et Églises). Ce Guillaume mourut en 1138 et fut enterré aux pieds de son père dans la salle capitulaire du prieuré de Lewes. Son fils, également nommé Guillaume, fut tué pendant les Croisades vers 1147-8. Ces trois Guillaume vécurent dans la cour supérieure (Upper Ward) du château mais à partir du milieu du XIIème siècle, la famille vécut dans la cour inférieure (Lower Ward), terrain entre le maison et la rivière.

Le premier Guillaume de Warenne avait construit un manoir en pierre à la fin du XIème siècle. Construite avec de la craie trouvée localement dans les carrières, du silex et de la pierre de Barnack (Cambridgeshire), c'était une magnifique demeure à un étage, avec l'entrée au niveau du rez-de-chaussée, et des fenêtres à l'étage. On trouvait même une cheminée, un confort dont seules les maisons royales avaient le privilège. La maison était entourée d'un

35. New Buckenham Castle and Village.
Château et village de New Buckenham.
Photo - Derek A. Edwards, Field Archaeology Division, Norfolk Museums Service.

replaced by a stone one. Soon, however, they must have decided that the scheme was too ambitious, and the southern part, as yet unfinished, was demolished, and only the northern half was transformed into a keep, though this too was never completed. Despite this, it was still impressive, with pilasters and stone-faced windows - some carved architectural stone was found during the excavations. At this stage, the bank was heightened and a higher curtain wall was built, strengthening the outer fortifications. The de Warennes were no doubt prompted to this course of action by the troublesome period of the Anarchy in the early 1140s. However successful the conversion, life in the keep cannot have been very comfortable, and this no doubt accounts for the rather sudden move to the Lower Ward, where the outline of a great hall (still unexcavated) can be seen within the ramparts.

NEW BUCKENHAM CASTLE (35)

An unusual circular keep was built around 1150 by William d'Albini. It was set within a vast ringwork, within an outer bailey. This replaced Old Buckenham Castle, now just a rectangular enclosure with a moat. The keep and the gatehouse were partly covered by heightening the bank (see 99).

fossé et d'un remblai, probablement d'une palissade en bois que l'on approchait par une porte fortifiée. Le peu de défenses et l'entrée au rez-de-chaussée tendent à prouver que la maison avait été construite pour le confort de l'habitant et non comme un ouvrage défensif. Guillaume pensait donc la région suffisamment paisible pour construire une simple maison et ceci seulement vingt ans après la Conquête. La maison devait être terminée lorsque Gundrada mit au monde son enfant en Mai 1085.

Le fils et le petit-fils de Guillaume convertirent la maison en un donjon d'une façon très ingénieuse. Premièrement l'entrée et les fenêtres furent comblées et les sols enlevés. Les murs extérieurs furent ensuite renforcés. En même temps, un mur en silex et en craie fut construit tout autour du remblai qui entourait la maison et la cour supérieure (Upper Ward), et la tour de garde en bois fut reconstruite en pierre.

Bientôt cependant, ils décidèrent que cette transformation était trop ambitieuse et le côté Sud, qui n'était pas terminé, fut finalement démoli. Le côté Nord fut transformé en donjon, mais le projet ne fut jamais complété. Malgré ceci, le donjon reste impressionnant avec ses pilastres et ses fenêtres de façade en pierre. Certaines pierres décorées ont été trouvées durant des fouilles archéologiques. La hauteur du remblai fut augmentée, un nouveau mur fut construit renforçant ainsi les fortifications extérieures. Les de Warenne furent sans aucun doute prompts à modifier leur habitation car les années anarchiques de 1140 annonçaient une période de troubles. Quel que fut le succès de cette conversion, le donjon ne devait pas être confortable à vivre. La preuve en est le soudain déménagement vers la cour inférieure (Lower Ward), où un hall, qui n'a pas encore subi de fouilles, peut être deviné à l'intérieur des remparts.

LE CHÂTEAU DE NEW BUCKENHAM (35)

Un donjon, d'une forme circulaire peu commune, fut construit vers 1150 par Guillaume d'Albini. Il était situé au centre d'un vaste espace fortifié, à l'intérieur d'une cour. Ce donjon remplaçait le château du Old Buckenham, dont il ne reste de nos jours qu'une enceinte rectangulaire et un fossé. Le donjon et la tour de garde étaient en partie cachés par la hauteur du remblai (cf. 99).

WEETING

Ici le site fortifié ne contenait qu'une tour en pierre et un hall du XIIème siècle presque sans défense, avec une porte au rez-de-chaussée, l'ensemble sur un remblai rectangulaire, un peu comme le manoir de Castle Acre. Les terrassements contenaient également une petite motte.

36. Bone tumbrel or coin balance from Castle Acre Castle.
Balance à pièces en os provenant du Château de Castle Acre.
Photo - David Wicks, Field Archaeology Division, Norfolk Museums Service.

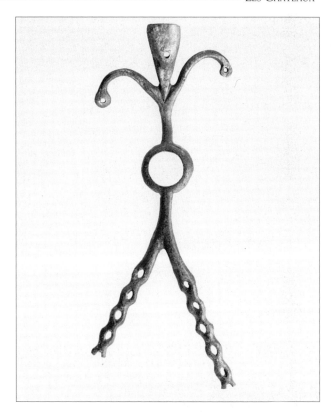

37. Copper alloy box-fitting from Castle Acre Castle.
Décoration d' une boîte provenant du Château de Castle Acre.
Photo - David Wicks, Field Archaeology Division, Norfolk Museums Service.

WEETING

Here the ringwork contained an almost undefended 12th-century stone tower and hall complex, with a door at ground level on a rectangular moated site, rather like the country house at Castle Acre Castle. The earthworks also contained a small motte.

LIFE STYLE IN CASTLES

Castles were the homes of wealthy noble families, and were obviously kept clean. Rubbish was disposed of off site, thus leaving sparse evidence of life style for the archaeologists. Baileys where crafts and industries might have been carried out have often been destroyed or affected by land clearing, or have been built on.

Castle Acre Castle is thus all the more remarkable in having a fine assemblage of objects belonging to the de Warenne family during the relatively short period that the country house and castle were inhabited, before the move to the hall in the Lower Ward in the late 12th century. It may be because of the rather rapid change from country house to keep that the assemblages were so rich. It seems that the southern half of the house was used as a rubbish dump, after the de Warennes decided to use only the northern half as a keep.

Many of the objects from Castle Acre Castle are of high status, appropriate to the de Warenne family, the Earls of

LA VIE DANS UN CHÂTEAU

Les châteaux, symboles d'un haut statut social, étaient par nature le lieu d'habitation des familles nobles et riches, et par ce fait propres. Les déchets étaient déposés dans d'autres endroits et donc peu d'informations ou d'objets sont parvenus jusqu'à nous. Il est donc difficile pour les archéologues de définir la 'vie de château'. Les cours extérieures où l'industrie et le commerce se trouvaient ont été depuis bien longtemps détruits, ou défrichés pour des besoins de terre ou encore recouverts de nouvelles constructions.

Le château de Castle Acre est parmi tous celui qui a offert les objets les plus remarquables sur la famille de Warenne pendant la courte période où la maison et le donjon furent habités, et ceci avant le déménagement vers la cour inférieure (Lower Ward) dans la seconde moitié du XIIème siècle. La richesse des objets peut s'expliquer par le rapide changement de maison à donjon. Il semblerait que la moitié Sud de la maison ait été utilisée comme décharge des déchets, après que les de Warennes eurent décidé d'utiliser simplement la moitié Nord comme donjon.

La plupart des objets trouvés sont de haute qualité, propres à une famille comme les De Warenne, tels que des pièces de monnaie, une balance à pièces ou 'tumbrel' (36). Cette balance permettait de vérifier le poids des pièces. Seules les pièces pesant le correct poids faisaient bouger la

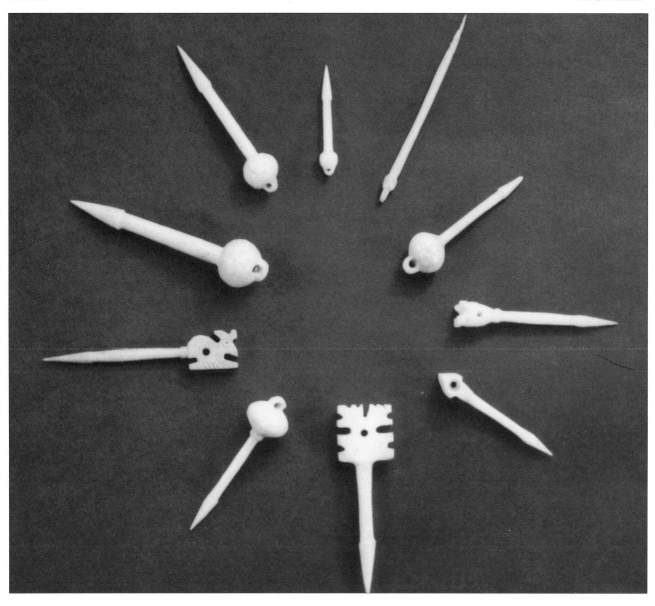

38. Bone head-dress pins from Castle Acre Castle.
Photo - David Wicks, Field Archaeology Division, Norfolk Museums Service.

Épingles à cheveux en os provenant du Château de Castle Acre.

Surrey. The tumbrel or coin-weighing balance was the sort used to check that coins were of the correct weight (36). Only coins of the correct weight tipped the balance. The steward may have used it to check that no-one was cheating their tax payments by clipping the edges of coins. Gilded bronze box-fittings were used to strengthen and decorate a box in which the family kept their valuables (37). A crystal may have decorated a book-cover, possibly a richly decorated Psalter. Only the wealthiest families would have had their own books. Numerous finely carved pins decorated the head-dresses or the plaits of the women of the family (38). Amongst them is one with its head in the form of a creeping mouse, and another has a tiny house with a thatched roof. Each pin has a minute loop at the top, so that it could be tied in place with cord or gold thread to stop them falling out. In their spare time, the family played music on a bone flute (39),

balance. L'économe pouvait ainsi vérifier que personne ne trichait dans le paiement des taxes, notamment en coupant les bords des pièces de monnaie. Des décorations de boîte, en bronze et dorées à l'or fin, étaient utilisées aussi bien pour décorer que pour renforcer la boîte qui contenait des objets de valeur (37). Une pierre en cristal également retrouvée pouvait certainement décorer un livre, peut être un Psautier. Seules les riches familles possédaient leurs propres livres. Un très grand nombre d'épingles à cheveux décorées ont été trouvées. Ces épingles permettaient aux femmes de maintenir en place leurs coiffes ou leurs nattes ou de décorer leur chevelures (38). Parmi ces décorations, on trouve une souris rampante, une maison avec un toit en chaume. Les boucles au sommet de ces épingles contenaient peut être des ficelles ou des fils d'or pour les maintenir en place. Pour ses loisirs, la famille devait jouer de la musique,

and games using round bone counters (40). Nine Men's Morris was also played on boards scratched on blocks of chalk (41). This was the sort of game the family retainers would have played, using chips of broken pottery as counters.

Of the few finds from other Norfolk castles, by far the most exquisite is the ivory bobbin excavated from the floor of the basement of Norwich Keep (4). It is one of the finest pieces of Romanesque carving, with a man's head at one end, and a dragon's at the other. Its use is uncertain, but it may have been an embroidery bobbin. It is tempting to think it was used by the constable's wife, or even by the queen who lost it while visiting Norwich.

peut être avec une flûte en os (39), ou jouait au trictrac avec des jetons en os (40). Le jeu Nine Men's Morris (jeu de tric-trac) (41) était également joué sur un tableau de craie par les domestiques de la famille utilisant des morceaux de poterie comme jetons.

Parmi les quelques objets des différents châteaux du Norfolk, celui le plus raffiné est sans aucun doute une bobine en ivoire, trouvée dans le sous-sol du donjon de Norwich (4). C'est l'une des meilleures pièces de sculpture de style roman, avec une tête d'homme d'un côté et un dragon de l'autre. Son utilisation n'est pas connue mais elle a très bien pu être utilisée comme bobine de broderie. Il est tentant de penser que cette bobine fut utilisée par la femme du conétable ou même par une reine qui l'eut perdu lors de sa visite à Norwich.

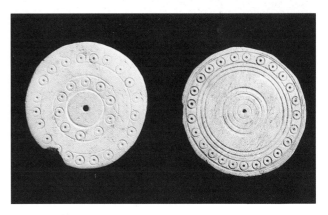

40. Bone gaming-counters from Castle Acre Castle.
Jetons de tric-trac provenant du Château de Castle Acre.
Photo - David Wicks, Field Archaeology Division, Norfolk Museums Service.

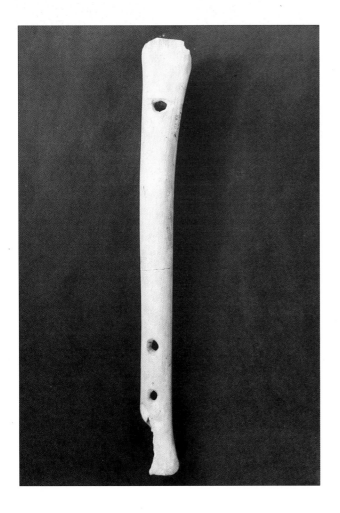

39. Bone flute from Castle Acre Castle.
Flûte en os provenant du Château de Castle Acre.
Photo - David Wicks, Field Archaeology Division, Norfolk Museums Service.

41. Chalk block with Nine Men's Morris board scratched on it from Castle Acre Castle.
Photo - David Wicks, Field Archaeology Division, Norfolk Museums Service

Un bloc de craie utilisé comme un tableau du jeu Nine Men's Morris (Jeu de Tric-Trac) provenant du Château de Castle Acre.

MONASTERIES AND CHURCHES
MONASTÈRES ET ÉGLISES

42. St Benet's Abbey at Holme.
Photo by Derek A. Edwards, Field Archaeology Division, Norfolk Museums Service.

Abbaye Saint Benoît à Holme.

William I put his stamp firmly on the organisation of the church in the land he conquered. He saw to it that all newly appointed abbots were Norman, while allowing existing abbots to continue in office until they died. The new abbots came from the great abbeys of Normandy, Bec, Caen, Jumièges, Mont-St-Michel, Fécamp and St-Evroult. This ensured that the richest landowners in the kingdom were loyal to him, and also that reforms in monastic

Guillaume le Conquérant intervint fermement dans l'organisation de l'Église sur les terres conquises. Tous les abbés nouvellement nommés étaient normands, et les abbés déjà en place continuèrent d'exercer jusqu'à leur mort. Les nouveaux abbés venaient des grandes abbayes de Normandie telles que le Bec-Héllouin, Caen, Jumièges, le Mont-Saint-Michel, Fécamp et Saint-Evroult. Ceci permit au nouveau roi d'Angleterre de s'assurer de la

discipline and church liturgy were adopted. The Archbishop of Canterbury who introduced many of these reforms was Lanfranc, a monk from Bec in Normandy (1070-1089).

William also made sure that new bishoprics were sited in places of economic and political importance. The diocese of East Anglia, first at *Dommoc* (formerly thought to be Dunwich, now known to be Felixstowe) had been divided in two in or after 673, and certainly by the 10th century, the Suffolk see .was based in Hoxne, and the Norfolk one in Elmham, most probably North Elmham. Here it was based until after the Conquest, when in 1071 or 1072, the Norman bishop Herfast transferred it to Thetford. Herfast clearly had aspirations to move the seat to Bury St Edmunds Abbey, the wealthiest house in East Anglia, and one of the richest in the country, so Thetford may have been one step on the way to Bury St Edmunds. However, Thetford was important commercially at that time, and the move from Elmham was also in keeping with William's overall policy. The subsequent move of the bishopric to Norwich under Herbert de Losinga in 1094 must have been partly because Norwich, being closer to the sea than Thetford, gradually superseded it in economic importance. It was also due to church politics - once Herfast failed to control the great abbey at Bury, it was much too close for comfort. Its abbot Baldwin secured a royal exemption from the king in 1081, so that the abbey was free of the bishopric.

The Norman Conquest brought a wave of new monasteries and new religious orders to England. The Benedictine Order was already established and continued to flourish, but alongside this grew up the Cluniac, Cistercian, Augustinian and Premonstratensian orders.

The presence of these great complexes of buildings in town and country alike must have had a dramatic impact on the landscape and on the life of the local people. As centres of highly skilled craftsmanship, monasteries must have influenced far wider circles than their own, providing employment for labourers and a vocation for those so inclined. The buildings themselves, the wealth of sculpture with which they were decorated, and the production of manuscripts in their cloisters all helped to spread the style of art and architecture which the Normans brought with them. Norman influence had begun even before the Conquest, however, with the building of the great abbey church at Westminster by Edward the Confessor. Saxon traditions were not totally lost and appeared alongside the new, particularly in buildings of the 1080s and 1090s after the initial post-Conquest flood of 'pure' Norman influence.

The impact of their buildings was all the greater because they were built of stone. For many of the most prestigious buildings, stone was imported from Caen in Normandy. In Norfolk, in particular, without its own building stone (except flint), the effect would have been very striking. The skilled work of masons is still evident today in buildings which vary from the massive proportions of

loyauté des grands propriétaires du royaume envers lui, et aussi que les réformes en matière de discipline monastique et de liturgie étaient respectées. L'archevêque de Cantorbéry qui fut à l'origine de la plupart de ces réformes était Lanfranc, ancien moine du Bec-Héllouin (1070-1089).

Guillaume s'assura également que les nouveaux archevêchés étaient situés dans des endroits économiquement et politiquement importants. Le diocèse d'East Anglia, qui se trouvait d'abord à *Dommoc* (supposé être la ville de Dunwich, mais finalement défini comme Felixstowe), fut divisé en deux en l'an 673 (ou après), et au Xème siècle, le siège épiscopal du Suffolk était certainement basé à Hoxne, tandis que le siège du Norfolk était à Elmham, et plus probablement à North Elmham. Le siège resta là jusqu'en 1071 ou 1072, lorsque l'évêque normand Herfast le transféra à Thetford. Herfast voulait très certainement que le siège épiscopal se trouva à l'abbaye de Bury St Edmunds, l'une des plus fortunées de la région d'East Anglia et l'une des plus populaires du pays. Ainsi, Thetford ne pouvait être qu'une étape vers Bury. Mais Thetford était commercialement important à cette époque et ce déménagement d'Elmham s'intégrait parfaitement à la politique de Guillaume. Le transfert de l'évêché à Norwich par Herbert de Losinga en 1094 avait, en partie, pour raison la proximité de la mer et Norwich, petit à petit, prit la place de Thetford au niveau économique. Une autre raison fut d'ordre de politique religieuse. Herfast se disputa avec Baldwin, abbé supérieur de Bury, qui ne voulait pas l'intervention de l'évêque dans la direction de l'abbaye. Baldwin obtint du roi en 1081 une exemption libérant l'abbaye de toute obligation envers l'évêché. Herfast ne supporta pas la proximité de l'abbaye plus longtemps.

La Conquête Normande apporta une nouvelle vague de monastères et d'ordres religieux. L'ordre des Bénédictins était déjà établi et continua à prospérer, mais les ordres Clunisien, Cistercien, Augustin et des Prémontrés se développèrent.

La présence des bâtiments religieux, à la fois complexes dans leur agencement et impressionnants par leur architecture, aussi bien en ville qu'en campagne, eut un effet dramatique sur le paysage et sur la vie des populations locales. En tant que centres d'artisans hautement qualifiés, les monastères devaient influencer des cercles beaucoup plus larges que leurs propres ordres, procuraient du travail aux paysans, et devenaient le lieu de prédilection de ceux aspirant à la vie religieuse. Les bâtiments eux-mêmes, décorés de riches sculptures et la production de manuscrits aidèrent à répandre l'art et l'architecture que les Normands avaient apporté avec eux. Mais l'influence normande avait commencé bien avant la Conquête, notamment avec la construction de l'Abbaye de Westminster par Edouard le Confesseur. La période qui suivit aussitôt la Conquête subit une influence romane sans égale, mais les traditions saxonnes ne furent pas totalement oubliées et cohabitèrent avec les nouvelles influences, en particulier lors des constructions entreprises

Norwich Cathedral to small and remote parish churches.

There was only one monastery in Norfolk at the Conquest, the Benedictine house of **St Benet at Holme** (42,43). Earlier religious communities of the 7th and 8th centuries, such as **Burgh Castle**, **Babingley**, **Bawsey**, **North Elmham**, **Reedham**, and perhaps **Loddon** and **Saham Toney** had long since vanished. An early monastic settlement at Holme in about 800 was destroyed by the Danes in c.870. It was re-founded in 1019 by Cnut, who, as king of England from 1016, founded monasteries as a way of atoning for the sins of his Viking ancestors. He established the abbey by sending 12 monks, with books and furniture. The first abbot, Elsin, reconstructed the church in stone, first built of mud or clay presumably for speed. The third abbot Aethelwold, called 'prudent and honourable' by the Chronicler, was not popular with William the Conqueror, having been entrusted by King Harold with sea-coast defences, and having apparently resisted the Norman invasion. As a result of the abbot's disloyalty the abbey was not given any extra lands, but Aethelwold nevertheless remained as abbot until his death in 1089, when Ralph, a Norman, was appointed in his place.

pendant les années 1080 et 1090.

L'impact des constructions fut le plus important parce que les édifices étaient bâtis en pierre. Pour la construction de la plupart de ces prestigieux bâtiments, la pierre était importée de Caen. Le Norfolk en particulier n'avait pas de pierre de construction (à part le silex) et l'effet dut être donc particulièrement saisissant. Le travail des maçons hautement qualifiés est encore de nos jours visible dans les monuments parvenus jusqu'à nous qui varient dans leurs proportions de la dimension de la cathédrale de Norwich aux petites églises paroissiales.

Un seul monastère était présent dans le Norfolk au moment de la Conquête, la maison Bénédictine de **Saint Benet à Holme** (42,43). Les communautés religieuses des VIIème et VIIIème siècles, telles que **Burgh Castle**, **Babingley**, **Bawsey**, **North Elmham**, **Reedham** et peut-être **Loddon** et **Saham Toney** avaient depuis bien longtemps disparu. Une colonie monastique à **Holme**, fondée en 800, fut détruite vers 870 par les Danois. Le monastère fut rétabli par Cnut, roi des Anglais à partir de 1016, qui cherchait par ce moyen à expier les péchés de ses ancêtres les Vikings. Il établit l'abbaye en envoyant 12

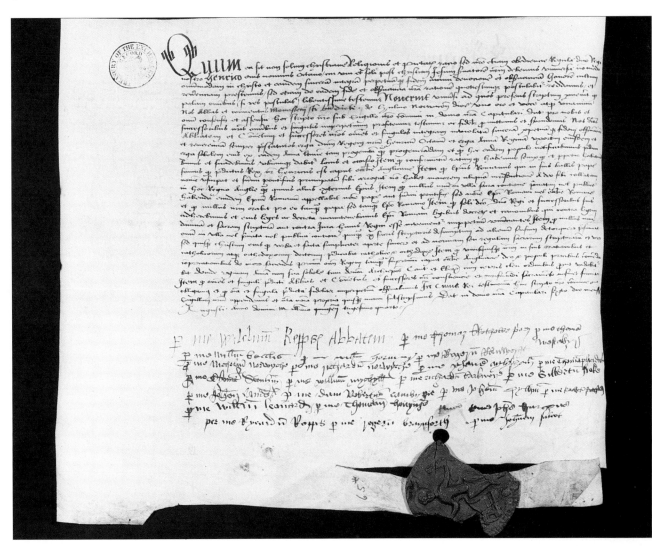

43. 16th-century charter and 12th-century seal of St Benet's Abbey. The broken seal shows St Benedict.
Photo by kind permission of the Public Record Office

Sceau datant du XIIème siècle et charte datant du XVIème siècle provenant de l'Abbaye Saint Benoît. Le sceau représente Saint Benoît.

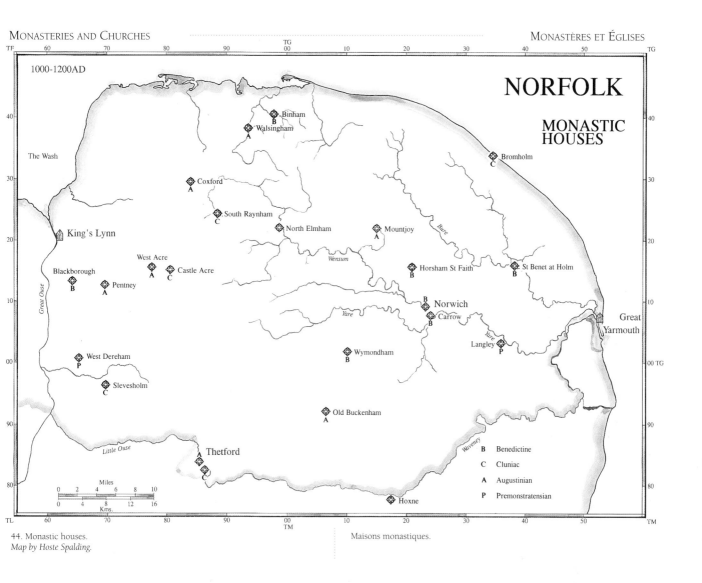

44. Monastic houses.
Map by Hoste Spalding.

Maisons monastiques.

As elsewhere in England, new abbeys were founded by wealthy Norman families, strengthening the new hierarchy in society, as well as showing off their wealth and status. By the end of the 12th century, there were about 25 monasteries in Norfolk (44), many founded by Norman families. Two of the most important Norman families, de Warenne and d'Albini, continued to found monasteries for several generations.

THE MONKS OF THE BENEDICTINE ORDER

The Benedictine Order, known as the Black Monks because of their black robes, followed the rule of St Benedict of Nursia in Italy (480-543) as revised by St Benedict of Aniane in France (750-820).

The main house in Norfolk after the Norman Conquest was the **Cathedral Priory of the Holy Trinity at Norwich** founded in 1094 by Bishop Herbert de Losinga (45). Herbert was a monk at Fécamp in Normandy, and was brought to England by William II as Abbot of Ramsey. Three years later, he was Bishop of East Anglia, the story being that he bought the bishopric for himself. Even he realised that this deed required absolution from the Pope, but his visit to Rome also saw him confirmed in his new office. On his return in 1094, he moved the see from

moines, des livres et des meubles. Le premier abbé, Elsin, reconstruisit l'église en pierre, alors que celle-ci avait été à l'origine construite en argile ou vase, vraisemblablement pour une question de rapidité. Le troisième abbé, Aethelwold, renommé pour 'sa prudence et son honorabilité' par les chroniqueurs de l'époque, n'était pas apprécié de Guillaume le Conquérant. Harold avait confié à cet abbé la défense des côtes maritimes et par la-même avait résisté à l'invasion normande. En conséquence, l'abbaye ne vit pas ses terres s'agrandir, mais Aethelwold resta cependant abbé jusqu'à sa mort en 1089. Ralph, un normand, lui succéda.

Comme partout ailleurs en Angleterre, les nouvelles abbayes furent fondées par de riches familles normandes, renforçant la nouvelle hiérarchie dans la société et montrant ainsi leur richesse et leur statut social. Deux de ces familles étaient les de Warenne et les d'Albini qui fondèrent d'ailleurs des monastères pendant plusieurs générations. À la fin du XIIème siècle, on trouvait environ 25 monastères dans le Norfolk (44).

43

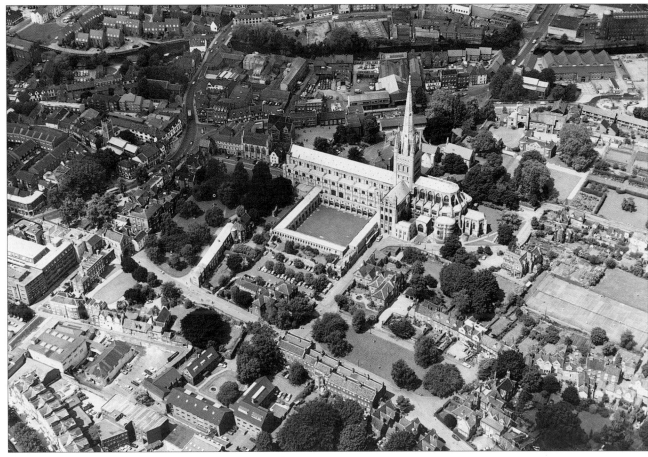

45. Cathedral of the Holy Trinity, Norwich.
Photo by Derek A. Edwards, Field Archaeology Division, Norfolk Museums Service.

Cathédrale de la Sainte Trinité, Norwich.

Thetford to Norwich and began building the cathedral and the monastic buildings.

Work on the layout and foundations may have begun at once, but the foundation stone was laid in the chapel of St Mary in 1096. The cathedral was ready for use (though not completed) by 1101. It was built from east to west, and by 1119 when Herbert died, the building had reached the altar sanctuary of the nave, as marked by the spiral columns. The monastery housed 60 monks, and the design was carefully thought out, based on a long-established tradition, so that the monastery was situated on the south side of the cathedral, away from the bishop's palace on the north side, with its tower and hall, and all its social and political comings and goings. This explanation of the lay-out is contained in the First Register of the Priory, a 13th-century manuscript.

The cathedral precinct (walled for security) ran from the river to King Street, all but meeting up with the castle fee (see Castles). It wiped out a north-south and an east-west route, and people had to make long detours around the precinct.

The monastery consisted of cloisters to the south of the nave, where the monks used the east and south ranges. The west range was at first the cellarer's range but from the 13th century it was reserved for guests. The south

L'ORDRE DES BÉNÉDICTINS

L'ordre des Bénédictins, connu comme celui des 'Pères Noirs' à cause de leurs habits, suivait les lois de Saint Benoît de Nursia en Italie (480-543). Cet ordre fut révisé par Saint Benoît d'Aniane, France (750-820).

La première maison de cet ordre, après la Conquête, fut le **Prieuré de la Cathédrale de la Sainte Trinité à Norwich** fondé en 1094 par Herbert de Losinga (45). Herbert était moine à Fécamp et fut amené en Angleterre par Guillaume Le Roux (Rufus) pour devenir abbé supérieur à Ramsey. Trois ans plus tard, il devenait évêque d'East Anglia, l'histoire indiquant qu'il acheta l'évêché pour lui-même. Il réalisa très vite que cette action demandait cependant l'approbation du pape, qu'il obtint lors de sa visite à Rome. Le pape le confirma dans son nouveau rôle. À son retour en 1094, il transféra le siège épiscopal de Thetford à Norwich et commença la construction de la cathédrale et des bâtiments monastiques.

L'agencement des bâtiments et la construction elle-même commencèrent en même temps, mais la première pierre fut posée dans la chapelle Sainte Marie en 1096. La cathédrale, bien qu'incomplète, se trouvait prête à l'emploi en 1101. Elle était bâtie d'Est en Ouest, et lorsqu'en 1119 Herbert meurt, le bâtiment était terminé jusqu'à l'autel de

range was the refectory, a large and richly decorated building 34' (10.2m) wide and 160' (48m) long, still impressive though roofless. To the east of the cloisters was the chapter house, and south of this lay the dormitory, a two-storey building about 150' (45m) in length. The monks would have slept at first floor level. There would also have been an infirmary, though the site of the original one is not known. The ruins of the later infirmary built in 1183 still stand to the south of the south range of the cloisters, and the site is now a car-park.

The east wall of the west range of the cloisters remains visible. At 180' (54m) long, it makes the overall size of the original cloisters the largest in medieval England, with the exception of the 13th-century cloisters at Salisbury. This wall may have been built early on in the building programme, perhaps even by local masons, as the double-splayed windows and the use of flint without freestone harks back to Saxon traditions. It may even have been built as early as between 1091 and 1094, while the layout of the whole complex was being planned, perhaps to give temporary accommodation for the builders.

The cloisters were re-built from the 1290s to the late 14th century. Other relics of the original cloisters are some of the beautifully carved double capitals from the walk (3), where they were placed on pairs of colonettes. These had been re-used in the walls of the later cloister. The decorated capital of each pair would have faced inwards to the walk, so it could be seen, while the plain one would have faced the garth.

·Besides the capitals from the cloisters, the only other contemporary carving of a human figure is the effigy (46) now in the south-east part of the ambulatory, originally outside in an arched niche above the doorway of the north transept (the entrance from the bishop's palace). The figure is a bishop, holding a crozier in his left hand and raising his right hand in blessing. Carved from Barnack limestone, it has in the past been identified as Herbert de Losinga himself. Another perhaps more likely candidate is St Felix, the missionary who converted the East Angles in the 630s and 640s and East Anglia's first bishop. Herbert would undoubtedly have considered St Felix a suitable subject for his cathedral, emphasising the long-established line of his bishopric. It was made between 1096 and 1119, and despite similarities with a tomb, it was clearly made for the niche in the north wall of the transept. Its dating can be confirmed by comparing the spiral columns with those in the nave of the cathedral, and with those which enclose the woman Aelfgyva on the Bayeux Tapestry.

Norwich Cathedral was one of a line of cathedrals in the south and east of England which derived ultimately from St Étienne in Caen in Normandy, built by William I, and where he is buried. The line goes by way of Lanfranc's cathedral at Canterbury (1070-77) - Lanfranc had been abbot of St Étienne - and St Augustine's, Canterbury, to St Albans, Bury St Edmunds and Norwich. Norwich

la nef comme le montrent les colonnes en spirale. Le monastère comprenait 60 moines et les plans furent très sérieusement étudiés de façon à ce que le monastère soit situé au Sud de la cathédrale, loin du palais épiscopal au côté Nord avec sa tour et son hall, et ainsi loin des allées et venues sociales et politiques. L'explication de cette disposition particulière de la cathédrale est contenue dans le Ier Registre du prieuré, un manuscrit du XIIIème siècle.

Le mur d'enceinte de la cathédrale s'étendait de la rivière jusqu'à King Street, s'arrêtant aux abords du château (voir Les Châteaux). Les routes Nord-Sud et Est-Ouest furent détournées pour permettre la construction de la cathédrale et la population était ainsi obligée de faire un long détour pour se déplacer dans la ville.

Le cloître du monastère se trouvait au Sud de la nef. Les pièces d'habitations réservées aux moines occupaient les côtés Sud et Est du cloître. La partie Ouest du monastère fut d'abord utilisée comme cellier mais à partir du XIIIème siècle il fut réservé aux visiteurs. Le réfectoire, un bâtiment grand et richement décoré de 10 mètres de large sur 48 mètres de long, se situait au Sud et il est aujourd'hui toujours aussi impressionnant bien que dépourvu de toit. À l'Est du cloître se trouvait la salle capitulaire, et au Sud de celle-ci le dortoir, un bâtiment à un étage, de 45 mètres de long. Les moines dormaient à l'étage. On ne connait pas l'endroit exact de l'infirmerie originelle. En revanche les ruines d'une infirmerie construite en 1183 se trouvent maintenant au Sud du cloître. L'endroit sert désormais de parking.

Le mur Ouest du cloître est toujours visible. Avec ses 54 mètres de long cela faisait de ce cloître l'un des plus grands de l'Angleterre médiévale, exception faite du cloître datant du XIIIème siècle à Salisbury. Ce mur faisait peut être partie des premières constructions car les fenêtres ébrasées et l'utilisation du silex rappellent les traditions saxonnes. Le cloître a pu-être construit entre 1091 et 1094, alors que l'agencement de l'ensemble des bâtiments en était au premier stade. Il fut peut être utilisé comme logement temporaire aux maçons.

Le cloître fut reconstruit entre 1290 et la fin du XIVème siècle. Les autres vestiges du cloître originel sont les double-châpiteaux, merveilleusement décorés (3), qui provenaient de l'allée centrale où ils étaient placés sur des 'colonettes'. Ces châpiteaux furent ré-utilisés dans les murs du cloître qui suivit. Les côtés décorés des châpiteaux faisaient face à l'allée, d'où ils pouvaient être vu, alors que les côtés non décorés donnaient sur le jardin. Outre les châpiteaux du cloître, la seule représentation contemporaine d'une figure humaine est l'effigie (46) qui se trouve maintenant dans le déambulatoire (côté Sud-Est), mais qui se trouvait originellement dans une niche au dessus de la porte d'entrée du transept Nord (entrée du palais épiscopal). La sculpture représente un évêque, tenant une crosse dans sa main gauche et bénissant avec sa main droite. Taillée dans de la pierre de Barnack, on a identifié cette figure comme celle de Herbert de Losinga

Cathedral was the first and the largest Norman building in Norfolk, and at 433' (132 m) long, it was a good 100' (30m) longer than many other 11th-century buildings, such as Jumièges, St Étienne itself, and Lanfranc's Canterbury cathedral. The scale of Norman buildings in England reflects William's grandiose plans to show himself a true successor to Edward the Confessor, and an equal to any ruler in Europe. Edward the Confessor had built Westminster Abbey after 1042. It was much influenced by Jumièges but far larger. Edward had spent twenty-nine years of exile in Normandy after all, and had a Norman mother, Emma. Not to be outdone, William built Winchester Cathedral, the largest cathedral in Europe.

Norwich Cathedral was built with an ambulatory at the east end, and three angled radiating chapels. The galleries are the width of the aisles below, and are decorated and wide enough to be used for processions. There is a crossing tower and wall-passages in the clerestory (just as there are in the castle keep). The walls, which are 6'3" (1.87m) thick, are constructed of a flint core with outer facings of stone, built in much the same way as the walls of the castle keep. In places the foundations are up to 6' (1.8m) deep, and consist of rows of whole flints laid in mortar. They explain the astonishing stability of the cathedral to this

lui-même. Un autre postulant est Saint Félix, le missionnaire qui convertit les habitants d'East Anglia vers les années 630 et 640 et qui fut le premier évêque d'East Anglia. Herbert aurait très certainement considéré Saint Félix comme un sujet idéal pour sa cathédrale, renforçant ainsi la lignée de l'évêché. Cette sculpture fut faite entre 1096 et 1119, et malgré des similitudes avec une tombe, elle était faite pour se loger dans la niche du mur Nord du transept. L'année de sa création peut être confirmée en comparant les colonnes en spirale avec celles de la cathédrale, et avec également celles qui entourent Aelfgyva dans la Tapisserie de Bayeux.

La cathédrale de Norwich fut une des nombreuses cathédrales du Sud et de l'Est de l'Angleterre dont l'architecture fut influencée par celle de Saint-Étienne, à Caen. Cette Abbaye aux Hommes fut érigée par Guillaume le Conquérant, et c'est là qu'il est enterré. D'autres exemples de cette influence se retrouvent dans la cathédrale de Lanfranc à Cantorbéry (Lanfranc fut un abbé de Saint-Étienne) ainsi que dans les abbayes de Saint Augustin (Cantorbéry), St Albans et Bury St Edmunds. La cathédrale de Norwich fut le premier et le plus vaste bâtiment normand du Norfolk, et avec ses 132 mètres de long, elle dépassait de plus de 30 mètres les autres édifices

46. Effigy of St Felix or Bishop Losinga at Norwich Cathedral.
Sculpture représentant Saint Félix ou l'Évêque Losinga, Cathédrale de Norwich.
Photo by Hallam Ashley, Norfolk Museums Service.

47. Manuscript from Norwich Cathedral Library of symbolical writings by a cleric known as the Pseudo-Dionysius, f. 58v, initial N.
Manuscrit provenant de la Bibliothèque de la Cathédrale de Norwich, écriture symbolique effectuée par un prêtre connu sous le nom de Pseudo-Dionysius.
Photo by kind permission of the Syndics of Cambridge University Library.

day. The stone used for construction was imported, some from Caen in Normandy and some from Barnack in Cambridgeshire, brought via the Wash. A canal was cut from the river Wensum (at what is now Pull's Ferry) to bring the stone as close as possible to the cathedral. The Caen stone is fine-grained and mellow, the Barnack darker and coarser. The two stones are mixed to distribute their different qualities evenly. But there was also a difference in cost, the Caen stone being far more expensive because of the costs of transport across the channel. The cathedral has more Barnack stone west of the crossing tower, as the building programme progressed and funds became more limited.

The Caen stone may have been cut and shaped into basic blocks at the quarry. As the stone came in varying sizes from the different beds in the quarry, this resulted in different sized blocks in different courses of masonry. The mouldings would be cut on site. The skill of the masons can be most clearly seen on the spiral columns in the nave. Each block had a groove cut into it before it was put in place, each fitting into a continuous spiral pattern.

The interior of the building would have been painted all over, and some traces remain, such as in the arches of the gallery of the eastern arm which have painted sawtooth or chevron motifs. Elsewhere, the painting actually depicts stone, such as in the radiating chapel on the north-east corner, where the blocks of stone or ashlar are covered with painted blocks, all even and of the same size, unlike the real ashlar beneath.

Only seven 12th-century manuscripts survive from the cathedral library, which must once have been the most extensive monastic library in Norfolk. One is a work by the Pseudo-Dionysius, a symbolical writer of the 12th century, identified by contemporaries as Abbot Suger, patron of the Abbey of St Denis, Paris (47). This manuscript is now in Cambridge University Library. Monastic libraries contained service-books (missals, psalters, and Gospels), and Bibles, as well as individual books from the Bible, such as the Epistle of St Paul now in St Peter Mancroft Church, Norwich (48), biblical commentaries, writings of the church fathers (Gregory and Augustine, for instance), and theological works (by Bede and Anselm, amongst others). There were also books of learning, Latin grammar, and works by classical authors, such as Virgil, Horace, Ovid and Cicero. Besides these, there were histories and chronicles, herbals, medical books and astrological books.

Norwich Cathedral influenced many other buildings in Norfolk. The Benedictine houses at **Binham** and **Wymondham**, and the Cluniac houses at **Castle Acre** and **Thetford** were all influenced in scale, layout and detail by the cathedral.

du XIème siècle, tels que Jumièges, Saint-Étienne et la cathédrale de Cantorbéry elle-même. L'échelle à laquelle ces cathédrales furent construites réflètent les plans grandioses du Conquérant pour montrer qu'il était le digne successeur d'Edouard le Confesseur, et à égalité avec n'importe quel autre souverain d'Europe. Edouard le Confesseur construisit l'Abbaye de Westminster après 1042, démontrant une grande influence de Jumièges, sur une plus grande échelle. Edouard passa tout de même 29 années d'exil en Normandie et sa mère, Emma, était normande. Pour ne pas en rester là, Guillaume construisit la cathédrale de Winchester, la plus grande d'Europe.

La cathédrale de Norwich fut construite avec un déambulatoire du côté Est et trois chapelles rayonnantes. Les galeries décorées sont aussi larges que les bas-côtés, et suffisamment larges pour accueillir des processions. On trouve une tour de croisée et des galeries de circulation (de la même façon que dans le donjon du château). Les murs, d'une épaisseur de 1.87 mètres, furent construits en silex et l'extérieur recouvert de pierre, à peu près de la même façon que les murs du donjon. Dans certains endroits les fondations ont jusqu'à 1.80 mètres de profondeur et consistent en des rangées de silex et de mortier. Ceci explique l'étonnante stabilité de la cathédrale jusqu'à nos jours. La pierre utilisée était importée de Caen, mais aussi de Barnack dans le Cambridgeshire, via le Golfe du Wash. Un canal fut construit à partir de la rivière Wensum de façon à apporter la pierre le plus près possible du chantier de construction (ce canal commence près de la rivière à un endroit maintenant appelé Pull's Ferry). La pierre de Caen était d'un grain très fin, patiné et d'une couleur claire, alors que la pierre de Barnack était plus sombre et de gros grain. Les deux pierres étaient mélangées ensemble pour donner le meilleur de leurs qualités respectives. La pierre de Caen était cependant beaucoup plus chère à cause du coût du transport. C'est pourquoi la cathédrale possède plus de pierre de Barnack à l'Ouest de la tour de croisée, indiquant qu'au fur et à mesure de sa construction et de la diminution des ressources, la pierre de Caen devenait inabordable.

La pierre de Caen était certainement taillée et façonnée grossièrement dans la carrière. Les dimensions des pierres variant naturellement selon le lit de la carrière ceci eut pour résultat des couches de maçonnerie différentes les unes des autres. Les moulures étaient réalisées sur le site de construction. L'habilité des maçons se révèlent dans les colonnes en spirale de la nef. Chaque bloc a une rainure, effectuée avant sa mise en place, chacune s'intégrant dans le dessin en spirale de la suivante.

L'intérieur du bâtiment devait être peint et quelques traces demeurent encore, comme sur les arches de la galerie (côté Est) qui ont été décorées avec des chevrons ou des dents de scie. Ailleurs, la peinture imite la pierre, comme dans la chapelle rayonnante (côté Nord-Est). Les pierres sont couvertes de peinture, toutes paraissent régulières et

48. Epistle of St Paul from St Peter Mancroft Church, Norwich, f. 147r showing St Paul with a scroll, representing his epistle.
Photo by kind permission of the Vicar and Parochial Church Council of St Peter Mancroft Church.

Épître de Saint Paul (folio 147r) le montrant avec un feuillet de son Épître. Église de Saint Peter Mancroft, Norwich.

The Priory of St Mary at Binham (49,50) was founded before the end of the 11th century by Peter de Valognes, nephew of William the Conqueror, and his wife Albreda, as a cell of St Albans Abbey. Building began under William Rufus. Of the monastic church, only the nave survives, as it became the parish church at the Reformation. The east end, the transept and the crossing are all in ruins. Like the cathedral it is built of Caen and Barnack stone, mixed so as to spread the different qualities of the two stones evenly.

The Abbey of St Mary at Wymondham (51,52) was founded by William d' Albini, steward to Henry I, and it too was a cell of St Albans Abbey. William and his wife Maud, the daughter of Roger Bigod, Earl of Norfolk and Suffolk, endowed the abbey richly with lands, church tithes and rents at Wymondham, Buckenham, Happisburgh and Snettisham. As at Binham, the magnificent nave survives because it was turned into the parish church at the Reformation. The rest of the buildings are in ruins to the east of the nave and visible as humps in the ground and crop-marks to the south. Like Norwich Cathedral, the nave has 12 bays, creating an impression of greater length, even though the bays are narrower, and it is in fact 150' (45m) long, as compared with the nave at Norwich which is 250' 6" (76.36m) long and that at Castle Acre Priory Church which is 112' (34m) long.

49. Priory of St Mary at Binham.
Prieuré Sainte Marie à Binham.
Photo Derek A. Edwards, Field Archaeology Division, Norfolk Museums Service.

de même taille, alors que les pierres véritables du dessous ne sont même pas nivellées.

De la bibliothèque de la cathédrale seuls sept manuscrits datant du XIIème siècle ont survécu, alors que celle-ci devait être la plus importante du Norfolk. L'un de ces manuscrits fut rédigé par Pseudo-Dionysius, un écrivain du XIIème siécle, identifié par les écrivains contemporains comme étant l'abbé Suger, patron de l'Abbaye de Saint-Denis, Paris (47). Ce document se trouve maintenant à Cambridge (University Library). Les bibliothèques monastiques comprenaient des livres servant aux offices (Missels, Psautiers, Evangiles), des Bibles telles que l'Épître de Saint Paul qui se trouve maintenant aux soins de l'église Saint Peter Mancroft, Norwich (48), des commentaires bibliques, écritures sur les pères de l'Église (Gregory et Augustin par exemple), et des oeuvres théologiques (dont ceux de Bede et Anselme). On trouvait également des livres d'apprentissage de Grammaire Latine et les travaux d'auteurs classiques (Virgile, Orace, Ovide et Cicéron), auxquels s'ajoutaient des histoires et des chroniques, des livres sur la médecine, les plantes et sur l'astrologie.

Les maisons Bénédictines à **Binham** et **Wymondham**, les maisons Clunisiennes à **Castle Acre** et **Thetford** ont toutes été influencées par la cathédrale au niveau de l'échelle et de la disposition des bâtiments et de la sculpture.

Le Prieuré Sainte Marie à Binham (49,50) fut fondé avant la fin du XIème siècle par Pierre de Valognes, neveu de Guillaume le Conquérant, et sa femme Albreda. Ce prieuré était une cellule de l'Abbaye de Saint Albans. La construction commença sous le règne de Guillaume le Roux (Rufus), fils du Conquérant. De l'église monastique, il ne reste que la nef, car le prieuré devint l'église paroissiale sous la Réformation. L'extrémité Est, le transept et la tour sont en ruine. Comme la cathédrale, le prieuré fut construit avec les pierres de Caen et de Barnack.

L'Abbaye Sainte Marie à Wymondham (51,52), fondée par Guillaume d'Albini, sénéchal d'Henry Ier, était également une cellule de l'Abbaye de Saint Albans. Guillaume et sa femme, Maude, fille de Roger Bigod, comte du Norfolk et Suffolk, dotèrent richement l'abbaye de terres, de dîmes et de loyers à Wymondham, Buckenham, Happisburgh et Snettisham. Comme à Binham, la magnifique nef a survécu grace à son nouveau rôle d'église paroissiale sous la Réformation. Les restes du bâtiment à l'Est de la nef sont en ruine et ne sont visibles qu'au Sud sous forme de petits tas et de marques au sol. Comme dans la nef de cathédrale de Norwich, on trouve 12 baies, créant ainsi une impression de longueur, même si ces baies sont plus petites et ne s'étendent que sur 45 mètres (80 mètres à Norwich et 34 mètres dans l'Église du Prieuré de Castle Acre).

Parmi les autres maisons Bénédictines en dehors de Norwich, seul **le Prieuré de Horsham St Faith** possède toujours quelques vestiges. Les bâtiments monastiques furent construits du côté Nord de l'église, ce qui était peu

50. Charter and seal (1120-1140) of St Mary's Priory at Binham. The seal shows the Annunciation of Christ's birth by the Archangel Gabriel to the Virgin Mary. The charter concerns the founders of the Priory, the Valognes family.
Photo by kind permission of the Public Record Office.

Sceau et charte provenant du Prieuré Sainte Marie à Binham (1120-1140). Le sceau montre l'Annonciation de la Naissance du Christ à la Vierge Marie par l'Archange Gabriel. La charte concerne les fondateurs du Prieuré, la famille Valognes.

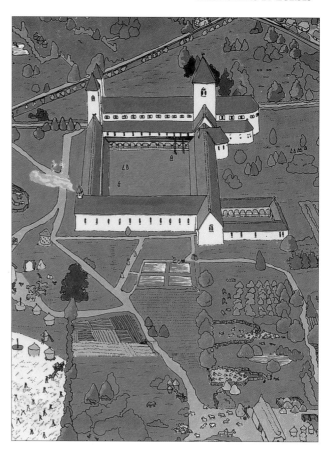

51. Abbey of St Mary at Wymondham.
Abbaye Sainte Marie à Wymondham.
Photo by E A Horne, Aerial Archaeology Foundation, Aerial Archaeology Publications.

52. Abbey of St Mary at Wymondham, mid-12th century.
Abbaye Sainte Marie à Wymondham, milieu du XII ème siecle.
Reconstruction drawing by Piers Millington-Wallace, Field Archaeology Division, Norfolk Museums Service.

Of other Benedictine houses outside Norwich, only **Horsham St Faith Priory** has substantial remains of the monastic buildings. They were (unusually) on the north side of the church. Now only the refectory survives, almost intact, with an Elizabethan house inside it, and with later extensions to the north. The cloister garth and wall (badly robbed, but in places still faced with coursed ironstone and flint) survive to the south of the refectory. The elaborate entrance from the cloister to the chapter house is still impressive, with pairs of sculpted capitals, probably influenced by the capitals of the cathedral cloisters. The entrance from the cloisters to the dark entry is blocked, but the passage itself, which gave the monks access to the refectory, still exists. Of the buildings to the east of the cloister, chapter house, and dormitory, no trace survives, except the springing for the vaults of the undercroft of the dormitory, on the east wall of the refectory.

The founding of the **Priory of Horsham St Faith** in around 1105 is a story full of miraculous happenings. Robert Fitz-Walter and his wife Sybil, daughter of Ralph de Cheney, returning through France from a pilgrimage to Rome, were set upon by robbers, and imprisoned. They prayed to God and St Faith, whereupon the Saint

commun. Le réfectoire a survécu presque intact, des agrandissements ont été effectués au Nord un peu plus tard et l'ensemble a été intégré à une maison Elizabéthaine. Le jardin du cloître et son mur (bien que gravement endommagé, certains endroits possèdent toujours des couches de pierre ferrugineuse et de silex), ont survécu au Sud du réfectoire. L'entrée élaborée du cloître dans la maison du chapelain est toujours impressionnante, avec des châpiteaux sculptés, probablement influencés par les châpiteaux du cloître de la cathédrale de Norwich. L'entrée du cloître vers le Passage Sombre (Dark Entry) est comblée, mais le passage lui-même utilisé par les moines pour accéder au réfectoire existe encore. Il ne subsiste pratiquement rien des bâtiments qui se trouvaient à l'Est du cloître (salle capitulaire et le dortoir), à part la retombée de la voûte de la crypte du dortoir, sur le mur Est du réfectoire.

Le Prieuré à Horsham St Faith (dédié à Sainte Foy) fut fondé en 1105 après une série de miracles. Robert Fitz-Walter et sa femme Sybil, fille de Ralph de Cheney, furent attaqués en France par des voleurs au retour de leur pélerinage à Rome et emprisonnés. Ils prièrent Dieu et Sainte Foy, et à ce moment là celle-ci leur apparut. Elle les libéra de leurs chaînes et de leurs entraves. Ils se rendirent

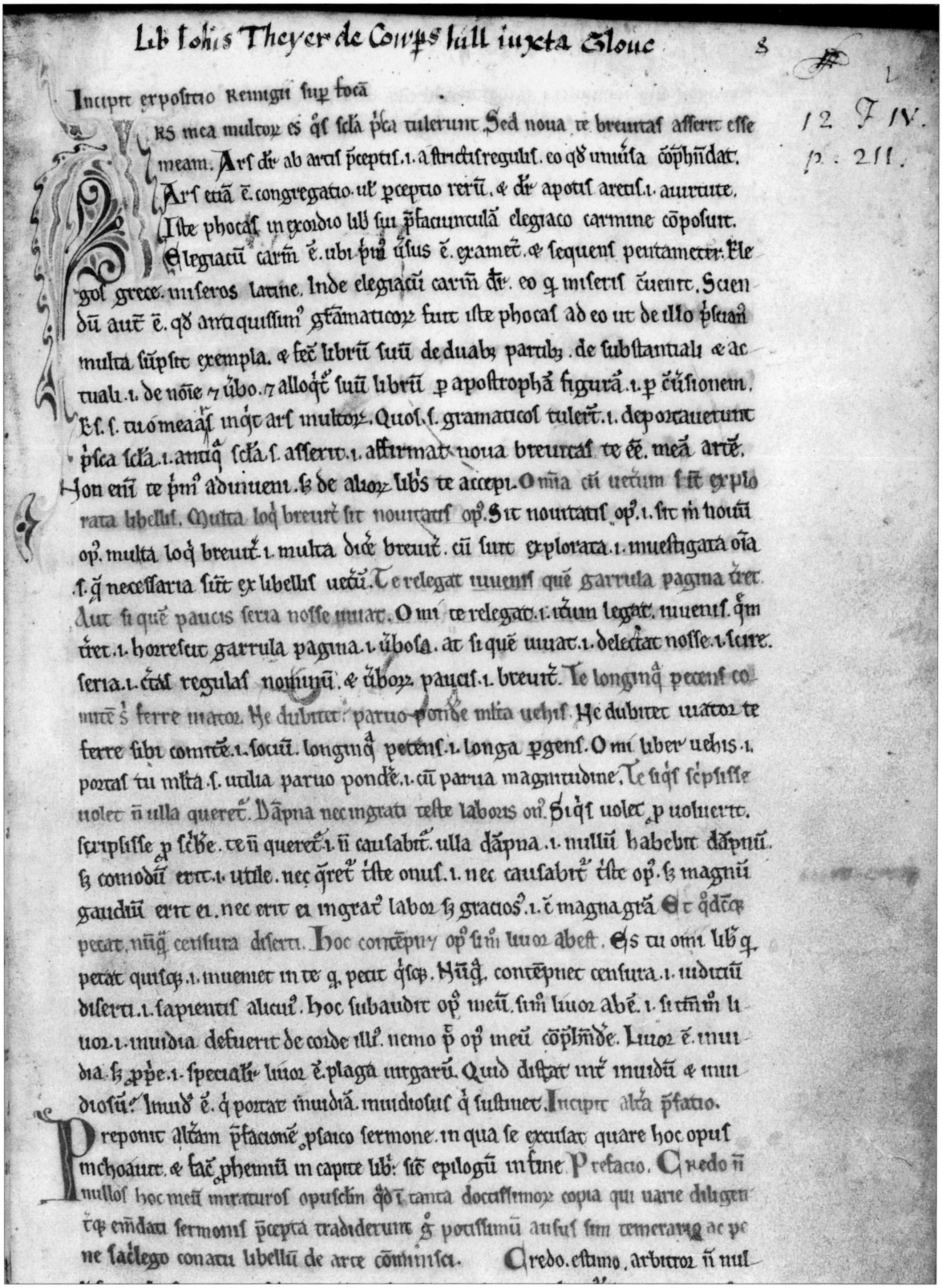

Lib Iohis Theyer de Cowps hill iuxta Glouc

Incipit expositio Remigii sup foca

[Medieval Latin manuscript text, heavily abbreviated, largely illegible]

53. Grammatical and Etymological Works in Latin from the Library of St Faith's Priory, 12th century, showing the opening of the commentary by Remigius of Auxerre (d.908) on a 4th-5th century grammar, folio 1.
Photo by kind permission of the British Library.

Travaux Grammaticaux et Etymologiques en Latin, provenant de la Bibliothèque du Prieuré de Saint Faith montrant un commentaire par Remigius d'Auxerre (m 908) sur la grammaire des IV et Vème siècles, folio 1 (XIIème siècle).

appeared in a vision and loosened their chains and fetters, and let them out of prison. They went at once to the Abbey of Conques (in Aveyron in the south of France), where St Faith was enshrined and offered up their fetters. The abbot and his monks of the Benedictine Order received them joyfully, and they rested for 12 days at the Abbey. While there they read the life of St Faith, and vowed to build a monastery when they returned home to their manor at Horsford. The monastery would be a cell of the Abbey of Conques. Two monks, Bernard and Girard went with them, and they began building the monastery a mile west of Horsham. According to the story, all the work done that day collapsed during the night so they moved to Horsham and began again. There the work flourished. The whole story is told in a magnificent wall-painting of the mid-13th century in the refectory.

A single manuscript from the priory library (now in the British Library) is Grammatical and Etymological Works in Latin (53), one of the general works of learning which must have filled many a shelf in monastic libraries.

There were houses of Benedictine Nuns also, such as the house at **Blackborough** in Middleton parish, founded in 1150 by Roger de Scales and his wife Muriel. The most important nunnery was at **Carrow** on the edge of Norwich, founded in 1146. It was dedicated to St Mary. Ruins of part of the Norman church and cloisters survive within the Colman's factory complex.

THE CLUNIAC ORDER

The Cluniac Order was named after Cluny in Burgundy in France, and was a reformed Benedictine order, attempting to return to the original rule of St Benedict. It was founded in 909 AD. Very soon Cluniac houses became extremely wealthy, and full of magnificent ritual, a very aristocratic order, rather remote from the simplicity and poverty meant to be their hallmark.

The Priory of St Mary at Castle Acre (54,55, see also 34)

The most notable house in Norfolk, and the first to be founded, was at Castle Acre. Here William de Warenne founded the daughter house of the first Cluniac house in England, which he had founded at Lewes in 1077. According to William's charter, issued shortly before his death in 1088, the first church was built within the castle area, but it was too small, and his son William, in confirming the charter, moved the monks to the present site. He also granted them two orchards and all the cultivated land between the orchards and the castle. In addition, he gave the monks his serf Ulmar the stonemason, to work on the new church. The church and cloister were not finished until after the death of the second earl. It was consecrated by William Turbus, Bishop of Norwich from 1146-74.

à l'Abbaye de Conques (département de l'Aveyron), où les reliques de Sainte Foy étaient exposées et offrirent leurs chaînes. L'abbé et les moines de l'ordre des Bénédictins les reçurent cordialement et ils purent se reposer pendant 12 jours. Pendant ce séjour, ils lirent la vie de Sainte Foy et firent le voeu de fonder un monastère dès leur retour chez eux à Horsford. Le monastère deviendrait ainsi une cellule de l'Abbaye de Conques. Deux moines, Bernard et Girard partirent avec eux pour l'Angleterre et commencèrent la construction du monastère à un kilomètre environ à l'Ouest de Horsham. La légende raconte que tout le travail effectué ce jour là s'écroula pendant la nuit. Ils s'en allèrent donc à Horsham et recommencèrent la construction. Là le monastère prospéra. L'ensemble de l'histoire est racontée dans une magnifique fresque du milieu du XIIIème siècle, encore visible dans le réfectoire.

Un seul manuscrit de la bibliothèque du prieuré nous est parvenu (maintenant aux soins de la British Library, Bibliothèque Nationale). Il s'agit du Grammatical and Etymological Works in Latin (Travaux Grammaticaux et Etymologiques en Latin), une oeuvre parmi tant d'autres qui dut figurer sur les étagères des bibliothèques monastiques (53).

On trouvait également des confédérations de religieuses Bénédictines. L'une se trouvait à **Blackborough**, dans la paroisse de Middleton et fut fondée en 1150 par Roger de Scales et sa femme Muriel. Mais la plus célèbre confédération se tenait aux abords de Norwich, dans le quartier appelé **Carrow** et qui fut fondée en 1146. Ce monastère était dédié à Sainte Marie. Quelques ruines de l'église normande et du cloître ont survécu et font maintenant partie de l'usine Colman's (fabriquant de moutarde).

L'ORDRE CLUNISIEN

L'ordre Clunisien fut fondé en France, à Cluny (Bourgogne) en 909 après Jésus-Christ et ses fondateurs voulaient réformer l'ordre Bénédictin et revenir aux lois premières édifiées par Saint Benoît. Très rapidement, l'ordre Clunisien prospéra et s'accompagna de rituels magnifiquement orchestrés. Ce fut un ordre aristocratique, et relativement éloigné de la simplicité et de la pauvreté prônées par les lois.

Le Prieuré Sainte Marie à Castle Acre (54,55, voir aussi 34)

La première maison de l'ordre Clunisien du Norfolk fut fondée par Guillaume de Warenne à Castle Acre. Cette maison était une cellule de celle déjà fondée à Lewes en 1077 par Guillaume. Peu de temps avant sa mort en 1088, Guillaume de Warenne délivra une charte indiquant que la première église fut construite dans l'ère du château, mais l'espace se révéla trop petit pour l'accueillir. Le fils de Guillaume confirma la charte et le monastère se vit

54. Priory of St Mary at Castle Acre.
Photo by Derek A. Edwards, Field Archaeology Division, Norfolk Museums Service.

Prieuré Sainte Marie à Castle Acre.

The priory church survives as impressive ruins, with the façade and the west bay of the nave almost at full height. The west front is superb. The church has an east end with five apses (known as 'echelon' meaning stepped), a transept, crossing, nave and two towers at the west end. The clerestory has a wall-passage. So far there are many features which derive from Norwich Cathedral. But one particular aspect is unique in European Romanesque architecture, and that is the astonishing variety of the piers in the nave. The design changes at every bay.

The Priory of St Mary, Thetford (56,57)

Roger Bigod, Earl of Norfolk and Suffolk, early in the reign of Henry I, made a vow of pilgrimage to the Holy Land. He was allowed to forego the pilgrimage by using the money it would have cost to establish a monastery.

He first chose the site of the cathedral of the East Anglian

transféré sur le site actuel. La charte accordait également deux vergers et la terre cultivable entre les vergers et le château. De plus, Guillaume donna aux moines son serf, Ulmar, un maçon, pour travailler à la construction de la nouvelle église. L'église et le cloître ne furent achevés qu'après la mort du second comte. Le site fut consacré par Guillaume Turbes, évêque de Norwich (1146-74).

L'église du prieuré a survécu sous forme d'impressionnantes ruines, dont la façade et la baie du côté Ouest de la nef sont encore aujourd'hui presque complètes. Le côté Ouest est superbe. L'église possède à l'extrémité Sud cinq absides, construites en échelon, un transept, un croisement, une nef et deux tours du côté Ouest. Le clair-étage possède une galerie dans le mur. Beaucoup de ces caractéristiques architecturales dérivent de la cathédrale de Norwich. Mais Castle Acre possède un phénomène unique en son genre en Europe: la variété des piliers de la nef. Aucune paire ne se ressemble.

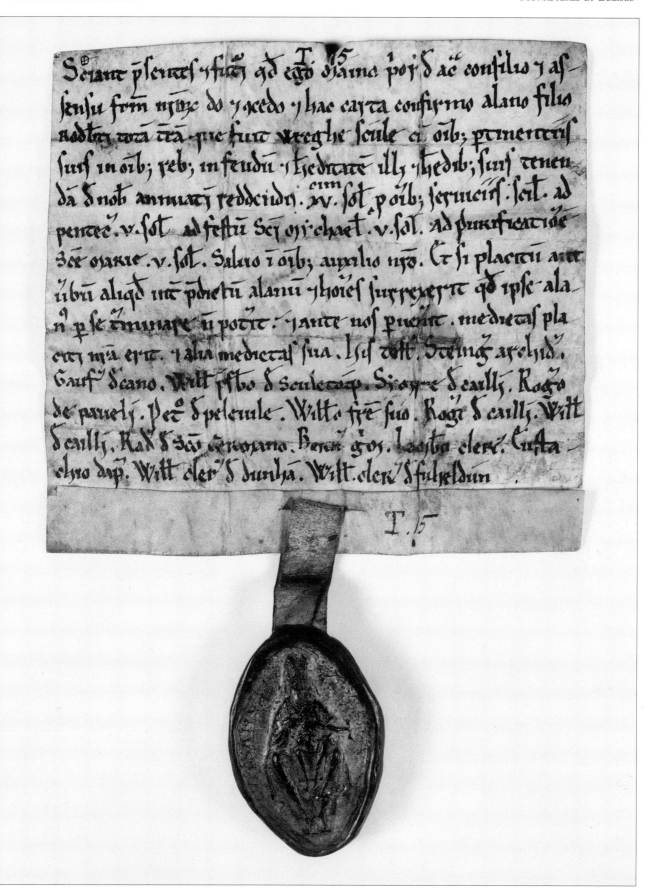

55. Charter and seal of about 1200 of St Mary's Priory at Castle Acre. The seal shows the Virgin Mary with the Child on her lap.
Photo by kind permission of the British Library.

Sceau et charte de 1200 du Prieuré Sainte Marie à Castle Acre. Le sceau montre la Vierge Marie avec l'Enfant sur ses genoux.

bishops which had been abandoned in 1094 when Herbert de Losinga transferred the bishopric to Norwich. This was on the Suffolk side of the river. The first cloisters and cells for the monks were made of wood. Lanzo, prior of Lewes, sent 12 monks in 1104 to serve at Thetford, and Malgod was the prior.

The next prior, Stephen, a man of great learning and a friend of the Abbot of Cluny, was sent to complete the foundation. He realised the site was too restricted, and selected a new site on the Norfolk side of the river, with the permission of the founder and the king. Herbert, Bishop of Norwich, turned the first turf of the new foundation, and the prior, the founder and noblemen laid the foundation stones. Roger Bigod died eight days after the foundation was laid, and a dispute developed between the prior and the bishop as to the place of his burial. He was eventually buried in Norwich Cathedral.

The building probably started at about the same time as Wymondham Abbey. Now only parts of the crossing and the transept survive, and even they do not survive to any height. As with Castle Acre, there are five apses at the east end, and the piers in the nave are varied, though not as much as at Castle Acre. Two sculptured stones from the priory show how richly decorated the building once was: a capital with a pair of birds whose breast feathers are carved delicately and a tympanum with a lion, its mane shown by long spiral curls (58,59).

Le Prieuré Saint Marie à Thetford (56,57)

Roger Bigod, comte du Norfolk et Suffolk, au début du règne de Henri Ier, fit le voeu de pélerinage en Terre Sainte. Il fut convaincu de renoncer à son projet et de consacrer l'argent prévu à l'établissement d'un monastère.

Il choisit en premier le site de la cathédrale des anciens évêques qui était abandonné depuis que Herbert de Losinga avait fait transféré l'évêché à Norwich en 1094. Ce site se trouvait du côté Suffolk de la rivière. Le premier cloître et les cellules des moines furent en bois. Lanzo, prieur de Lewes, envoya 12 moines en 1104 pour servir à Thetford, et Malgod devint le prieur.

Le second prieur, Étienne, un homme très érudit et un ami de l'abbé supérieur de Cluny, fut envoyé pour compléter la fondation. Il réalisa que le site était trop petit, et choisit un nouveau site du côté Norfolk de la rivière, avec la permission du fondateur et du roi. Herbert, évêque de Norwich, posa la première pierre de ce nouveau prieuré. Roger Bigod mourut huit jours plus tard, et une dispute s'engagea entre le prieur et l'évêque à savoir où l'enterrer. Il fut finalement enterré dans la cathédrale de Norwich.

La construction des bâtiments commença certainement en même temps que la construction de l'abbaye de Wymondham. Seule une partie du transept et du

56. Priory of St Mary at Thetford.
Photo by Derek A. Edwards, Field Archaeology Division, Norfolk Museums Service.

Prieuré Sainte Marie à Thetford.

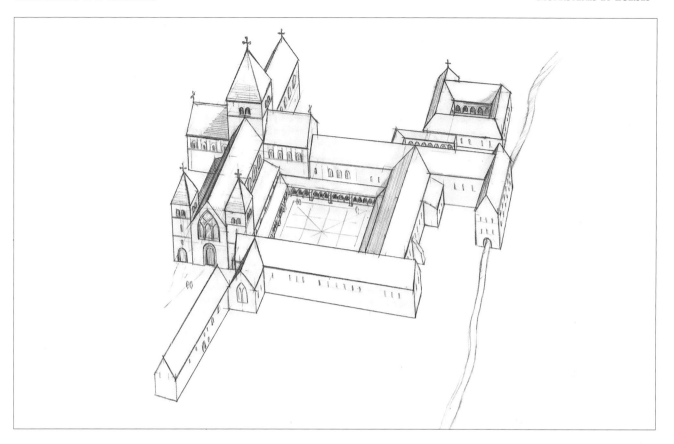

57. Priory of St Mary at Thetford.
Reconstruction drawing by Steven Ashley, Field Archaeology Division, Norfolk Museums Service.

Prieuré Sainte Marie à Thetford.

THE AUGUSTINIAN ORDER

The Augustinian Order, or Black Canons, followed rules laid down by St Augustine and members of this order were priests not monks, divided into Canons Regular (who lived like monks in monasteries) and Canons Secular (who worked in local churches). Their way of life was less rigid and less formal than monastic life, and they were only supervised by a bishop.

The most notable house founded by the great Norman families in the 12th century was the **Priory of St James at Old Buckenham**, in 1146 by William d'Albini, second earl of Arundel. All that survives can be seen as earthworks and cropmarks in an aerial view.

The Priory of St Mary at Little Walsingham

A chapel was established at Little Walsingham before the Conquest, and a shrine was founded by Richelde of Fervaques, a widow, probably during the reign of William I. She had great devotion to the Virgin Mary and was shown in dreams the Holy Land and the Holy House in Nazareth where Mary received the news that she was to give birth to Jesus. Richelde was told to build a replica of the Holy House in Walsingham, which she did probably

croisement a survécu à faible hauteur. Comme à Castle Acre, on distingue cinq absides à l'extrémité Est, et les pilliers de la nef ne sont pas autant variés que ceux de Castle Acre. Deux pierres sculptées du prieuré nous montrent la richesse des décorations: un châpiteau est décoré d'une paire d'oiseaux dont on peut voir très précisément les plumes et un tympan avec un lion décoré, montrant très nettement la crinière bouclée de l'animal (58,59).

L'ORDRE DES AUGUSTINS

L'ordre des Augustins, ou 'Chanoines Noirs', avait pour règles celles de Saint Augustin et les membres de cet ordre étaient prêtres, et non pas moines. Ils se divisaient entre les chanoines réguliers officiant comme les moines dans les monastères, et les chanoines séculiers, travaillant dans les églises locales. Leur mode de vie était moins rigide et plus informel que la vie monastique. Ils étaient seulement supervisés par un évêque.

Les maisons de cet ordre furent fondées par les grandes familles normandes au XIIème siècle: **le prieuré Saint Jacques à Old Buckenham** en 1146 par Guillaume d'Albini, second comte d'Arundel. Malheureusement, ce qui a survécu de ce prieuré ne sont que des terrassements et des marques au sol, seulement visibles du ciel.

58. Capital carved with a pair of birds from St Mary's Priory, Thetford.
Châpiteau décoré avec deux oiseaux, Prieuré Sainte Marie, Thetford.
Photo by David Wicks, by kind permission of English Heritage.

Le Prieuré Sainte Marie à Little Walsingham

Une chapelle fut établie à Little Walsingham avant la Conquête, et une châsse fut installée par la veuve Richelde of Fervaques probablement pendant le règne de Guillaume le Conquérant. Elle se dévouait au sacre de la Vierge Marie et reçut de nombreuses visions de la Terre Sainte et de la maison de Nazareth où Marie apprit qu'elle allait donner naissance à Jésus. Richelde reçut l'ordre de construire une réplique de la maison de Nazareth à Walsingham, ce qu'elle fit peu après 1100. Son fils, Geoffrey, dota le monastère de terres et le prieuré fut construit vers 1169. Les moines de Walsingham construisirent une église avec une nef de six baies et les bâtiments monastiques attachés à la chapelle de la maison. À partir du XIIème siècle, Walsingham devint un lieu de pélerinage de renommée nationale.

De la bibliothèque du prieuré une Bible a survécu (maintenant aux soins de Chester Beatty Library, Dublin, Irlande). Elle fut réalisée vers 1140 (60). La page de garde est un document datant de la même époque que le prieuré de Walsingham. La Bible devint la propriété de Sir Henry Spelman (?1564-1641) après la dissolution des

59. Tympanum carved with a lion from St Mary's Priory, Thetford.
Photo by David Wicks, by kind permission of English Heritage.

Tympan décoré avec un lion, Prieuré Sainte Marie, Thetford.

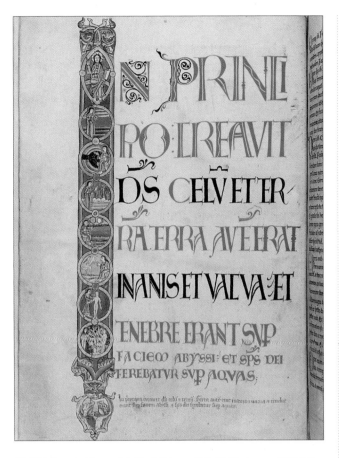

60. Bible from the Library of St Mary's Priory at Little Walsingham, c. 1140, f. 8v, showing the Creation of the World and the Temptation of Adam and Eve (beginning of Genesis).
Bible provenant de la Bibliothèque du Prieuré Sainte Marie à Little Walsingham (vers 1140), folio 8v, montrant la Création du Monde et la Tentation d'Adam et Eve (début de la Génèse).
Photo by kind permission of the Trustees of the Chester Beatty Library, Dublin.

shortly after 1100. Her son Geoffrey gave lands to endow the monastery and the priory was founded around 1169. The monks at Walsingham built a church with a nave of six bays, and other monastic buildings attached to the Chapel of the Holy House. From the 12th century onwards, Walsingham was a national centre of pilgrimage.

A great Bible from the priory library survives, now in the Chester Beatty Library, Dublin (60). It was made around 1140. The fly-leaf of the manuscript is a contemporary document from Walsingham Priory. The association is strengthened by the fact that it was owned by Sir Henry Spelman (?1564-1641) after the Dissolution of the Monasteries. He lived at Congham, Norfolk and had attended Walsingham Grammar School. The manuscript is the first of three or four volumes, and the only one still in existence. It contains the first six books of the Old Testament, and has six historiated initials (so called because the initial is decorated with scenes from particular stories) and four decorated initials at the beginnings of particular books. One of the finest is in the Book of Genesis, where the initial I shows Christ in glory, with six scenes of creation in roundels, and the Temptation of Adam and Eve.

monastères. Celui-ci vécut à Congham (Norfolk) et alla à l'école de Walsingham. Le manuscrit est le premier de trois ou quatre volumes et le seul encore existant. Il contient les six premiers livres de l'Ancien Testament, et possède six lettres historiées (dont les scènes réfèrent à différentes histoires), quatre initiales ornées au début de certains chapîtres. La plus remarquable se trouve dans le Livre de la Génèse, où l'initiale I montre le Christ en majesté. Il est entouré des six scènes de la création, et de la Tentation d'Adam et Eve.

Le Prieuré Sainte Marie et All Saints (Toussaints) à West Acre (61)

Ce prieuré fut fondé entre 1102 et 1126 par un grand baron normand, Ralph de Tosny, propriétaire de 22 manoirs dans le Norfolk. La famille de Tosny avait également fondé une maison Bénédictine à Conches près d'Évreux vers 1035. L'enceinte entière subsiste comme des ruines, des terrassements et des marques au sol.

LES CHANOINES PRÉMONTRÉS

Les chanoines Prémontrés ou 'Pères Blancs' basèrent leur théorie sur un retour à une vie plus simple et une discipline plus rigide. Ils étaient aussi des végétariens très stricts. Leur nom dérive de celui de leur fondateur, Saint Norbert de Prémontré ou *Pratum Monstratum* qui fonda l'ordre à Laon, Champagne (France) en 1119.

L'Abbaye Sainte Marie fut également fondée à West Dereham par Hubert Walter en 1188 (62). L'agencement de ce monastère peut être apprécié seulement des airs. La deuxième moitié d'une Bible de la bibliothèque a survécu (63). Elle est maintenant aux soins de la Bibliothèque du Trinity College de Dublin. Cette Bible commence par le Libre de Proverbes et se termine par l'Apocalypse après le Nouveau Testament. On trouve plusieurs initiales décorées.

Le Norfolk de la période saxonne était riche, peuplé et comprenait déjà de nombreuses églises. Construire une

61. Priory of St Mary and All Saints at West Acre.
Prieuré Sainte Marie et All Saints (Toussaints) à West Acre.
Photo by Derek A. Edwards, Field Archaeology Division, Norfolk Museums Service.

The Priory of St Mary and All Saints at West Acre (61)

The Priory of West Acre was founded between 1102 and 1126 by the great Norman landowner Ralph de Tosny, owner of 22 manors in Norfolk. The Tosny family had founded a Benedictine house at Conches in Normandy around 1035. The entire precinct, with all the monastic buildings, survives as earthworks, cropmarks and ruins.

THE PREMONSTRATENSIAN CANONS

The Premonstratensian Canons or 'white canons' were based on a return to simpler life and more rigid discipline. They were also strict vegetarians. Their name derives from the name of their founder, St Norbert of Prémontré or *Pratum Monstratum*, who founded a house at Laon in 1119, Champagne in France.

A notable house in Norfolk was the **Abbey of St Mary at West Dereham**, founded by Hubert Walter in 1188 (62). The plan is known from aerial photography. The second part of a magnificent Bible (63) survives from its library, now in the Library of Trinity College, Dublin. The manuscript begins with the Book of Proverbs and concludes with the Apocalypse after the New Testament. There are several illuminated initial letters.

62. Abbey of St Mary at West Dereham.
Abbaye Sainte Marie à West Dereham.
Photo by Derek A. Edwards, Field Archaeology Division, Norfolk Museums Service.

63. Bible from the Library of St Mary's Abbey at West Dereham, late 12th century, f. 83v, showing a decorated initial D at the beginning of the Book of Daniel.
Photo by kind permission of the Board of Trinity College Library, Dublin.

Bible provenant de la Bibliothèque de l'Abbaye Sainte Marie à West Dereham, fin du XIIème siècle, folio 83v, montrant une initiale décorée D au début du livre du prophète Daniel.

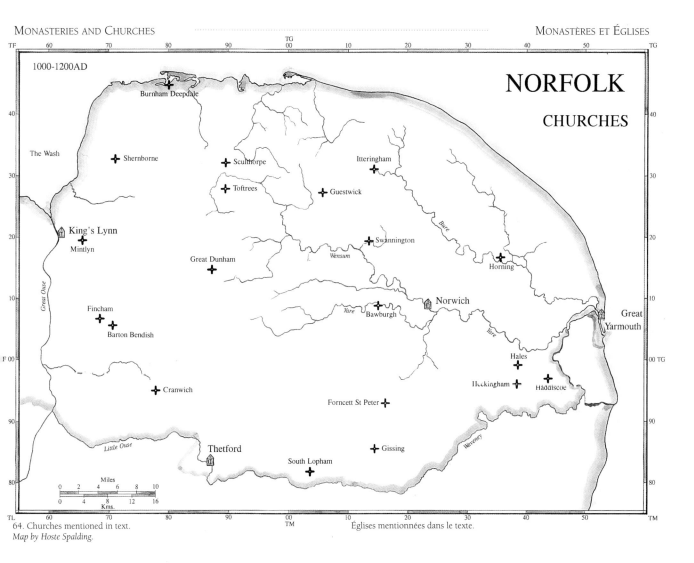

TF 60   70   80   90   TG 00   10   20   30   40   50   TG

1000-1200AD

NORFOLK

CHURCHES

Burnham Deepdale

The Wash

+ Shernborne

+ Sculthorpe

+ Itteringham

+ Toftrees

+ Guestwick

King's Lynn

Mintlyn

+ Swannington

Bure

Wensum

+ Horning

Great Dunham

Norwich

Fincham

Yare

+ Bawburgh

Barton Bendish

Great Ouse

Yare

Great Yarmouth

Hales

Cranwich

Heckingham + Haddiscoe

Forncett St Peter +

Little Ouse

Thetford

Gissing

Waveney

South Lopham

Miles
0 2 4 6 8 10
0 4 8 12 16
Kms.

64. Churches mentioned in text.
Map by Hoste Spalding.

Églises mentionnées dans le texte.

CHURCHES

LES ÉGLISES

Late Saxon Norfolk was wealthy and densely populated, and churches were already thick on the ground. Building a church showed off wealth and status, even more than religious devotion, and the large number of churches reflects the competitive spirit of Late Saxon society, where status symbols mattered to landowners. A law of Cnut said that ownership of a church was one of the attributes of the rank of 'thegn'. Even if the builders of churches could not run to the other legal requirements of such a rank (having a fortified gatehouse and five hides of land), they clearly regarded the building of a church as a sign of one-upmanship. The Domesday Book records only 250 churches (excluding Norwich) in Norfolk at the Conquest, but it is clear from the documentary and archaeological evidence that there were a great many more, possibly as many as 650, that is, one for almost every parish in the county.

During the two hundred years following the Norman Conquest, wooden churches were replaced by stone buildings, in itself a striking change in the landscape, and a symbol of the power of the new lords. The use of Caen stone quoins and openings would have looked very fine in conjunction with walls of native flint. Barnack limestone

église était la révélation d'une certaine richesse et position sociale bien plus qu'une dévotion religieuse. Le grand nombre d'églises reflète la compétitivité de la société saxonne où les signes extérieurs de richesse avaient grande importance aux yeux des barons. Une des lois de Cnut (roi d'Angleterre 1016-1035) indiquait que la propriété d'une église était l'un des attributs de ceux appartenant au rang de 'thegn'. Même si les bâtisseurs d'églises ne pouvaient se conformer aux exigences légales d'un tel rang (avoir une maison fortifiée et cinq 'hides' de terres), ils considéraient la construction d'une église comme un signe de richesse. Le Domesday Book enregistra 250 églises (sans compter Norwich) dans le Norfolk au moment de la Conquête. Grace à la documentation écrite et aux preuves archéologiques, on estime que le nombre était plus élevé, peut être 650, ce qui amène presque à une église par paroisse.

Pendant les deux cents ans qui suivirent la Conquête, les églises en bois firent place à des édifices en pierre. Ceci eut des conséquences sur le paysage et devint le symbole du pouvoir des nouveaux seigneurs. L'utilisation de la pierre de Caen et du silex de la région dut avoir un effet certain. La pierre de Barnack était amenée de la région des

65. Church at Itteringham, only visible as a cropmark from the air.
Église à Itteringham, seulement visible du ciel.
Photo by Derek A. Edwards, Field Archaeology Division, Norfolk Museums Service.

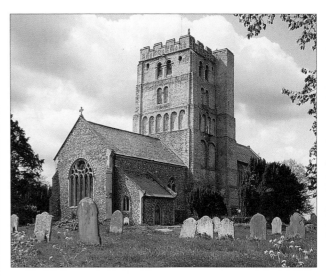

66. Church of St Andrew at South Lopham.
Église Saint André à South Lopham.
Photo by Richard Tilbrook.

Midlands à travers le Golfe du Wash. Le Norfolk est doté de nombreuses églises romanes (64). Certaines sont très petites comme la minuscule chapelle à **Itteringham**, aujourd'hui seulement visible d'avion (65). D'autres sont immenses et imposantes comme la tour de **South Lopham** (66).

Les décorations des églises montrent qu'aucun brusque bouleversement ne s'est produit en 1066, et il est difficile de dater une église avec précision, sinon de la qualifier de deuxième moitié du XIème siècle, car les techniques saxonnes survécurent encore 80 ans après la Conquête. Par exemple, l'église d'**Haddiscoe**, construite vers 1130, possède des ouvertures de clochers triangulaires, caractéristique de l'époque saxonne. La porte au Sud est un exemple magnifique de l'architecture romane avec une figure assise située dans une niche au dessus de la porte (67). L'église de **Great Dunham** possède à la fois des

67. Church of St Mary at Haddiscoe.
Église Sainte Marie à Haddiscoe.
Photo by Richard Tilbrook.

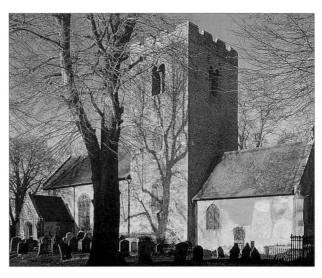

68. Church of St Andrew at Great Dunham.
Église Saint André à Great Dunham.
Photo by Richard Tilbrook.

69. Church of St Peter at Guestwick, excavation of chancel showing chancel arch.
Église Saint Pierre à Guestwick, fouilles effectuées dans le choeur de l'église, photo montrant l'arche du choeur.
Photo David Wicks, Field Archaeology Division, Norfolk Museums Service.

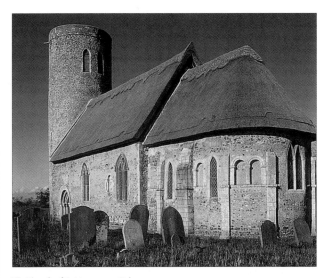

70. Church of St Margaret at Hales.
Église Sainte Margaret à Hales.
Photo by Richard Tilbrook.

was also imported via the Wash. Norfolk is dotted with Norman churches (64). Some are minute like the tiny chapel at **Itteringham**, now only visible as cropmarks (65). Others are grand and imposing like the tower of **South Lopham** with its two levels of arcading and its two levels of double-splayed bell-openings above (66).

The decoration of churches shows that there was no sudden break in 1066, and it is often difficult to date a church any more precisely than the second half of the 11th century, as Saxon techniques survive up to 80 years after the Conquest. For example, though **Haddiscoe** church was built in about 1130, its tower has triangular-headed bell-openings which are a Saxon feature. Yet its south door is a magnificent example of Norman architectural sculpture, with a seated figure in a niche above the doorway (67). **Great Dunham** church likewise has Saxon features alongside Norman: long-and-short work on the nave and tower (the use of alternating long and short stone blocks), double-splayed windows and a triangular-headed west doorway (68). **Guestwick** church also mixes Saxon and Norman traditions, with Saxon mouldings on the chancel arch, but Norman windows (69).

Other churches are 'pure' Norman and the decoration of some was influenced by Norwich Cathedral. The

caractéristiques saxonnes et romanes: l'utilisation alternée de blocs de pierre, longs et courts, dans la nef et la tour, des fenêtres ébrasées, une porte d'entrée à l'ouest avec des ouvertures triangulaires (68). L'église de **Guestwick** possède des moulures saxonnes sur l'arche du choeur, mais les fenêtres sont romanes (69).

D'autres églises sont d'une architecture purement romane, et certaines furent influencées par la cathédrale de Norwich. Les portes d'entrée d'un groupe d'églises paroissiales au Sud-Est du Norfolk, dont parmi elles **Hales** (70) et **Heckingham**, ont une richesse de décorations qui se rapproche des châpiteaux du cloître de la cathédrale. La porte Nord de l'église de Hales a été certainement faite par les mêmes artisans que ceux qui ont travaillé à la porte Sud de l'église de Heckingham (71). Elle possède des moulures complexes en forme de chevrons, bobines et roues.

Malgré la Conquête, les relations autrefois établies avec l'Allemagne et les pays du Nord de l'Europe furent maintenues et se développèrent. Les 120 églises à tour concentrique du Norfolk, parmi lesquelles **Gissing, Forncett Saint Peter, Bawburgh, Cranwich** (72), et les 41 du Suffolk sont le résultat de l'influence Germanique. Seules 15 églises des XIème et XIIème siècles possèdaient des tours axiales et six églises avaient des tour carrées.

Du mobilier religieux de l'époque normande a survécu. Des fonts baptismaux (Nord-Ouest du Norfolk) sont richement décorés avec des images de la vie de tous les jours et des histoires bibliques. Bien plus grossière en qualité que les sculptures de la cathédrale de Norwich, la décoration révèle beaucoup sur la façon dont les ouvriers saxons continuèrent de travailler selon leurs propres méthodes. Certains motifs, tels que les entrelacs des fonts de **Sculthorpe**, de **Toftrees** et de **Shernborne** (73) semblent dériver de l'art saxon. Tous les autres sont romans: les colonnes avec châpiteaux cubiques, les

71. Church of St Gregory at Heckingham, south doorway.
Photo by Richard Tilbrook.

Église Saint Grégory à Heckingham, la porte Sud.

72. Church of St Mary at Cranwich.
Église Sainte Marie à Cranwich.
Photo by Richard Tilbrook.

73. Font in St Peter and St Paul's Church, Shernborne.
Fonts baptismaux de l'Église Saint Pierre et Saint Paul à Shernborne.
Photo by Richard Tilbrook.

doorways of a group of parish churches in south-east Norfolk, among them **Hales** (70) and **Heckingham**, have a wealth of carving which is related to the decoration of the cloister capitals from the cathedral. The north doorway of Hales church is almost certainly by the same craftsman as the south doorway of Heckingham church (71). Both have intricate carvings of chevrons, bobbins, and wheels on the hood-mould.

Despite the Norman Conquest, the long-established connections with Germany and northern Europe across the North Sea continued to flourish. The round-towered churches are the result of influence from northern Germany. There are 120 in Norfolk, among them **Gissing, Forncett St Peter, Bawburgh, Cranwich** (72), and 41 in Suffolk. So characteristic are they in Norfolk, that only 15 churches of the 11th and 12th centuries have axial towers (that is, above the crossing where nave and choir meet), and only 6 have square west towers.

Many furnishings of the Norman period survive too. A group of fonts in north-west Norfolk is carved with rich decoration, with pictures of everyday life as well as of biblical stories. Though cruder in quality than any of the cathedral sculpture, the decoration reveals much about the way the craftsmen continued to work with old traditions. Some of the motifs, such as the interlace on the **Sculthorpe, Toftrees and Shernborne** fonts (73), seem to derive from Saxon art. But other motifs are pure Norman: the columns with cushion capitals, spiral columns, and leaf scrolls on these same fonts, and the figures within arcades on the **Fincham** and **Burnham Deepdale** fonts. The Labours of the Months at Burnham Deepdale (74) are shown in an arcade on three sides of the font, with trees in an arcade on the fourth; around the top of the bowl is a running pattern of four lion-like creatures, their heads

colonnes en spirale, les arcades et les volutes. Ces décorations se trouvent sur les sculptures de Sculthorpe, Toftrees et **Shernborne** et des personnages à l'intérieur d'arcades sont visibles sur les fonts baptismaux de **Fincham** et **Burnham Deepdale**. Les Travaux des Mois de Burnham Deepdale (74) sont montrés sur trois côtés, chaque Travail dans une arcade, le quatrième côté étant gravé d'arbres. En haut on peut voir des créatures, certainement des lions, dont les têtes se confondent aux coins. Les mois sont incrits au dessus des figures sur certains des panneaux, quelquefois tournés vers le haut plutôt que vers le bas. La sculpture est en méplat et grossière, mais les scènes de semailles, de récolte des moissons, d'hivernage et de festivité nous donnent un aperçu de la vie dans les campagnes. Les fonts baptismaux à Fincham comprennent une iconographie biblique plus complexe. Comme à Burnham Deepdale, les figurines sont représentées chacune dans une arcade. Les scènes incluent Adam et Eve, les Mages offrant des cadeaux (75), la Nativité, et le baptême du Christ.

La maçonnerie et la sculpture romanes ont été quelquefois ré-utilisées dans des bâtiments ultérieurs à cette époque. Les châpiteaux du premier cloître de la cathédrale de Norwich furent replacés dans le second. Ce recyclage s'applique également aux églises paroissiales. La piscine de l'église de **Swannington** est en fait un châpiteau (76).

74. Font in St Mary's Church, Burnham Deepdale.
Photo by Richard Tilbrook.

Fonts baptismaux de l'Église Sainte Marie à Burnham Deepdale.

75. Font in St Martin's Church, Fincham.
Fonts baptismaux de l'Église Saint Martin à Fincham.
Photo by Richard Tilbrook.

76. Piscina or basin in St Margaret's Church, Swannington.
Piscine de l'Église Sainte Margaret à Swannington.
Photo by David Wicks, Field Archaeology Division, Norfolk Museums Service.

shared at the corners (two, their tails intertwined on the north face, one on the east and one on the west face). The names of the months are inscribed above the figures on some of the panels, sometimes facing upwards rather than downwards. The figure sculpture is flat and crude, but the scenes of digging, pruning and harvesting, keeping warm in winter and feasting, give us a very personal insight into rural life. The font at Fincham has more complicated biblical iconography. As at Burnham Deepdale, the figures are shown in an arcade on each face.

Quelquefois, seul un fragment d'une eglıse permet de définir sa richesse, comme par exemple le tympan de l'église Saint Michel à **Mintlyn** (77). Le corbeau de l'église All Saints à **East Winch** se trouve désormais au Musée de King's Lynn (78). Et une piscine de l'église romane originelle fait maintenant partie de l'église médiévale qui l'a remplacé.

Le mobilier des églises de cette période qui a survécu est très rare. Mais un coffre de **Horning** (église Saint Benoît) nous est parvenu. Il a été taillé directement dans un tronc d'arbre et est décoré avec des plates-bandes en fer qui se terminent par des boucles et des volutes (79).

D'une façon générale, les populations des XIème et XIIème siècles se rendaient à l'église de leur paroisse. Mais lors des cérémonies religieuses ils allaient par centaine à la cathédrale de Norwich. La nef de la cathédrale était réservée au peuple, alors que le choeur et

77. Tympanum fragment from the ruined church of St Michael's at Mintlyn.
Fragment d'un tympan provenant de l'Église en ruine Saint Michel à Mintlyn.
Photo King's Lynn Museum, Norfolk Museums Service.

78. Corbel from All Saints' Church, East Winch.
Corbeille de l'Église All Saints à East Winch.
Photo King's Lynn Museum, Norfolk Museums Service.

The scenes include Adam and Eve, the Magi bearing gifts (75), the nativity, and the baptism of Christ.

Norman stonework and sculpture was sometimes re-cycled in later buildings, like the capitals of the first cloister at the cathedral, which were re-used in the later cloister. The same is true of parish churches. The piscina at St Margaret's Church, **Swannington** is in fact a re-used capital (76). Sometimes, a loose fragment of sculpture is all that gives a clue to a once richly decorated church, like the tympanum from St Michael's Church, **Mintlyn**, now in ruins (77). The corbel from All Saints' Church, **East Winch** is now in King's Lynn Museum (78), and a piscina survives in the later medieval church which replaced the Norman church there.

Church furniture of the period is very rare, but a 12th-century wooden chest survives in St Benedict's Church, **Horning**. It is dug from a single log, and is decorated with iron straps which end in simple curls and scrolls (79).

In general, people in the 11th and 12th centuries worshipped in their own parish churches. But for special festivals, they would go in their hundreds to the cathedral. The nave of the cathedral was for the ordinary people, whereas the choir and sanctuary were reserved for monks. Naves must have been the only public places under cover in the 11th and 12th centuries, and they would have housed many gatherings and meetings, and perhaps even games, as well as allowing visitors to join in the worship of the cathedral. The economic advantages of great crowds for any town were clear, and the particular draw for a cathedral would be the relics of a saint. This is one reason that when Norwich Cathedral needed a saint, they picked up the story of William, a 12-year-old boy supposedly killed by the Jews in 1144. A monk at Norwich, Thomas of Monmouth, wrote up the martyrdom in gruesome detail, even though there does not seem to have been any substance to the accusation. Thomas recounted a dream in which Bishop Herbert had appeared to him, saying that in the past they had to acquire lands for funding the cathedral through rents, but now they had relics. The boy's body was first buried on the south side of the high altar, but it was later moved to the radiating chapel on the north-east because access for crowds of pilgrims was easier there. The cult was very popular amongst local people especially in the 1150s and 1160s, but never grew to the extent of cults elsewhere, such as St Edmund at Bury, or St Etheldreda at Ely. In both those latter cases, the saints were Saxon, and their relics were adopted and re-housed by the Normans. The cult of St William dwindled in the 14th century.

By the time the cult of St William flowered, the Norman age was strictly speaking over, but the influence of the Normans remained powerful, in society and in the culture they brought with them.

le sanctuaire étaient réservés aux moines. Les nefs étaien les seuls endroits publics couverts aux XIème et XIIèm siècles. Elles devaient certainement être le lieu d beaucoup de rassemblements et de réunions, peut-êt aussi de jeux, et devaient recevoir des visiteurs venu célébrer le culte de la cathédrale. Les avantage économiques de ces grandes foules sont évidents. L'idé pour une cathédrale était d'avoir les reliques d'un saint. I cathédrale de Norwich trouva le sien en la personne d'u jeune garçon de 12 ans, Guillaume, supposé avoir été tu par les Juifs en 1144. Un moine de Norwich, Thomas d Monmouth, écriva le martyr de cet enfant même l'accusation ne semblait pas être basée sur des preuve tangibles. Thomas racontait le rêve qu'il fit: l'évêqu Herbert de Losinga lui apparut, expliquant que dans passé on avait du acquérir des terres et en retirer des loye pour construire la cathédrale. Maintenant on avait le reliques d'un saint. Le corps du garçon avait d'abord é enterré du côté Sud de l'autel, mais fut transféré dans chapelle au Nord-Est car les foules en pélerinage y avaie plus facilement accès. Le culte fut très populaire dans localité dans les années 1150 and 1160, mais n'atteign jamais le niveau de popularité qu'avait par exemple cel de Saint Edmond à Bury ou Sainte Etheldreda à Ely. Dar ces deux derniers cas, les saints étaient saxons, mais leu reliques furent adoptées par les normands et abrités dar de nouveaux endroits. Le culte de Saint Guillaume déclir au XIVème siècle.

Au moment où le culte de Saint Guillaume commençait se développer, l'Age d'Or Normand était déjà sur le déclir mais l'influence de ce peuple resta puissante, aussi bien a niveau de la culture que dans la société .

79. Wooden dug-out chest from St Benedict's Church, Horning.   Coffre en bois provenant de l'Église Saint Benoît à Horning.
Photo by David Wicks, Field Archaeology Division, Norfolk Museums Service.

TOWNS
···
LES VILLES

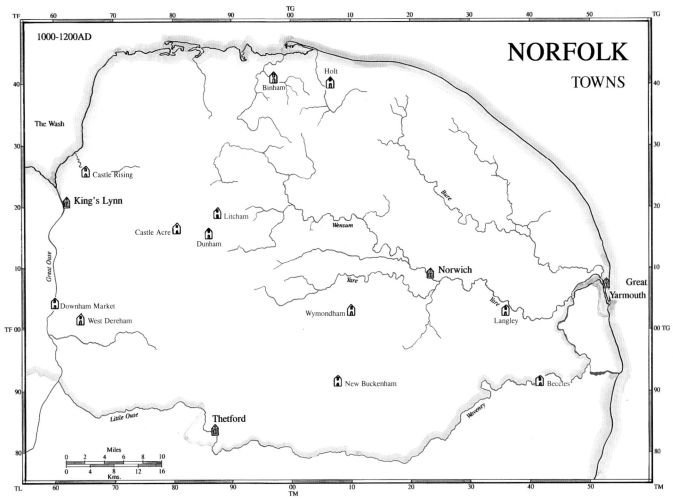

80. Towns, small towns and places with markets
Map by Hoste Spalding.

Les villes, les petites villes et les endroits avec les marchés.

Less than one out of ten people were town dwellers in 11th- and 12th-century Norfolk, although the importance and number of towns was growing throughout the period. It is not very easy to define what we mean by a town at this time. Legally the chief inhabitants or burgesses had special status as free owners of property, and towns were known as 'boroughs'.

In the earlier Norman period only two or three places could be called towns, **Norwich**, **Thetford** and possibly **Great Yarmouth**. Of these the latter was rather a recent foundation in 1066 while the other two had been

Bien que l'importance et le nombre de villes allaient croissants aux XIème et XIIème siècles, moins de 10% de la population était citadine. Il est difficile de donner une définition de 'villes' à cette époque. On les nommait également 'bourg'. Légalement, les habitants en chef du bourg ou 'bourgeois' bénéficiaient d'un statut privilégié et étaient des propriétaires libres.

Au début de la période normande, seuls deux ou trois endroits pouvaient se définir comme villes: **Norwich**, **Thetford** et peut-être **Great Yarmouth**. Cette dernière

81. Norwich about 1150.
Reconstruction drawing by Piers Millington-Wallace, Field Archaeology Division, Norfolk Museums Service.

Dessin montrant Norwich vers 1150.

flourishing centres of trade, manufacturing and local government since the end of the 9th century.

As will be seen there must have been many other minor centres which were to emerge as true towns in the course of the 12th and 13th centuries. This process of urbanisation undoubtedly benefited from the closer links which the Normans forged between England and mainland Europe, but it should be stressed that the process was in full swing in many countries at this same period.

Historians have long argued about the question of the size of the contribution made by the Normans to growth of towns in England. Although there had been an upward trend in the urbanisation of England, as elsewhere, for many years before 1066, the Normans brought with them an extra impetus to trade, both local and international. This acted for the long-term benefit of towns despite the local setbacks that occurred in many places as a result of war and rebellion.

était relativement récente puisque fondée en 1066, alors que les deux autres étaient déjà des centres florissants de commerce, d'industrie et d'administration locale depuis la fin du IXème siècle.

Comme nous allons le voir, il existait d'autres centres moins importants mais qui se développèrent au cours des XIIème et XIIIème siècles et devinrent des villes en tant que telles. Cette urbanisation bénéficiait sans aucun doute des liens que les Normands maintenaient entre l'Angleterre et le Continent, mais notons tout de même que ce phénomène était également en pleine expansion dans d'autres pays.

L'étendue de l'influence normande sur la croissance et le développement des villes anglaises reste encore de nos jours une énigme pour nos historiens. Il est certain que l'urbanisation de l'Angleterre avait commencé, comme dans le reste de l'Europe, bien avant 1066, mais les Normands ont apporté avec eux un nouvel élan au niveau

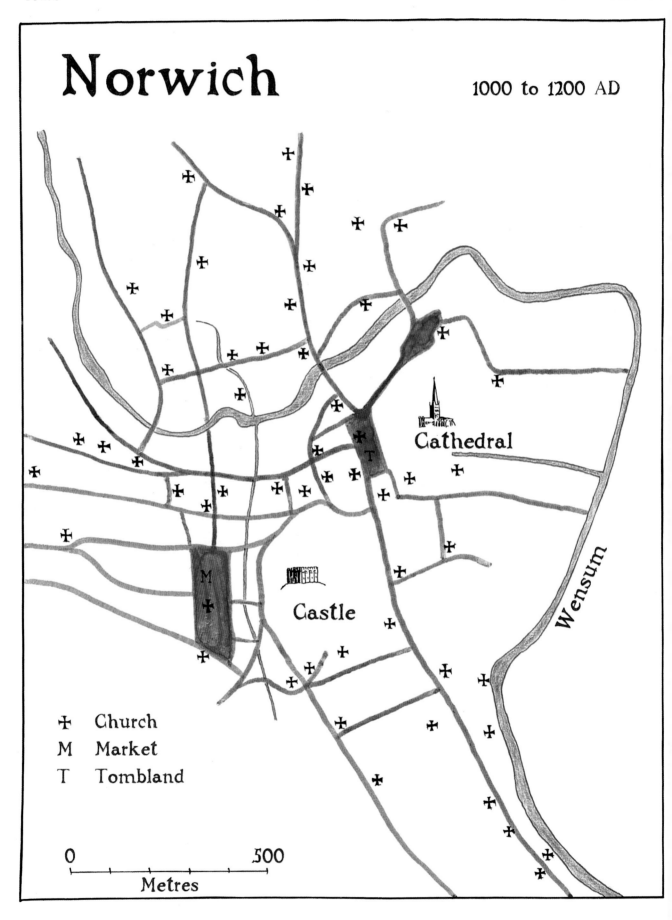

Norwich

1000 to 1200 AD

Cathedral

Castle

Wensum

✝ Church
M Market
T Tombland

0   500
Metres

82. Plan of Norwich.
Drawing by Hoste Spalding.

Plan de Norwich.

Norwich (81,82)

In 1066 Norwich was the fourth most populous town in England with a population probably in excess of 5000. It had grown rapidly as a thriving centre of trade and manufacturing during the 10th and earlier 11th centuries on either side of the River Wensum at its lowest crossing point and just above its confluence with the River Yare. Although the area north of the river had been defended by a large bank and ditch in c.900, there is no evidence that any of the town was defended by 1066. Domesday Book tells us that the town had suffered some damage by fire and by the disruption caused by the rebellion of Earl Ralph in 1075. Over 1320 burgesses, freeholders of the town, were listed for 1066, but this figure had fallen to a mere 655 by 1086. Some at least of these men had been reduced in status, for in 1086 there were 480 unfree inhabitants of the smallholder class which was not represented at the earlier date. In addition 28 burgesses had fled from the town, including 22 who had moved to Beccles in Suffolk.

du commerce aussi bien local qu'international. Même si un ralentissement du progrès se fit sentir à la suite de guerres et rébellions du peuple saxon, cet élan eut des bénéfices sur le long terme.

Norwich (81,82)

En 1066, Norwich comprenait plus de 5000 âmes et sa démographie l'amenait au quatrième rang national. Son développement commercial au cours des Xème et XIème siècles en firent une ville riche et prospère sur les deux rives de la rivière Wensum, qui traverse Norwich à son niveau le plus bas, juste au dessus de son point de rencontre avec le fleuve Yare. Au Nord de la rivière, la ville fut protégée par un large remblai et un fossé aux alentours du Xème siècle, mais aucune évidence n'a montré que la ville fut défendue en 1066. Le Domesday Book nous rapporte simplement que la ville souffrit d'incendies et de perturbations, conséquences de la révolte du comte Ralph contre le roi Guillaume en 1075.

83. Hoard of silver pennies of William I, found on the site of Garlands Store in Norwich.
Trésor de Norwich: 'pennies' en argent à l'effigie de Guillaume le Conquérant, trouvés sur le site du magasin Garlands.
Photo by David Wicks, Field Archaeology Division, Norfolk Museums Service.

84. Stamped pottery vessel from excavations in Norwich Castle bailey.
Poterie estampillée provenant des fouilles archéologiques effectuées dans la cour du Château de Norwich
Photo by David Wicks, Field Archaeology Division, Norfolk Museums Service.

After these initial setbacks the chief effect of the Conquest in the medium and long term was to increase Norwich's size, population and importance. Ninety-eight houses, as well as associated streets and churches, in the south-west part of the Saxon town had been destroyed to make room for the mighty castle on which work began soon after the invasion. Despite this destruction, the castle, which was operational by 1075, must have acted as a powerful boost to the importance of Norwich in the county and in East Anglia, for it was the only royal castle in the region and thus the centre of royal power and administration. In common with many castles the earliest buildings within Norwich Castle were of wood. The magnificent stone keep was erected in the years around 1100 at which time the whole castle complex, with its huge defensive ramparts and ditches had grown to cover an area of 14 acres (5.6 hectares).

The reduction in the inhabited area caused by the building of the castle was offset by the creation of a completely new zone for commerce and trade which was laid out to the west of the outer area of the castle in what had been open fields. This development was not for the immediate benefit of the inhabitants but for merchants who had arrived in the wake of the conquerors. These were known as the 'Franci de Norwic', i.e. the Frenchmen of Norwich, and the

Plus de 1320 boureois ou exploitants libres étaient enregistrés en 1066, mais ce chiffre tomba à 655 en 1086. Le statut de certains de ces bourgeois fut en effet réduit parce que 480 petits cultivateurs ou exploitants non libres enregistrés en 1086 ne figuraient pas sur la liste antérieure de 1066. De plus, 28 bourgeois avaient fui la ville, 22 d'entre eux s'étaient réfugiés à Beccles dans la région du Suffolk.

Après ces retards premiers, la Conquête eut pour effet d'accroître à moyen et à long terme la superficie de Norwich, sa population et son importance. Le paysage de Norwich changea radicalement lorsque 98 maisons, plus rues et églises, situées au Sud-Ouest de la ville saxonne furent détruites pour faire place à l'imposant château dont la construction débuta peu après la Conquête. Le château était opérationnel en 1075. Malgré cette destruction, le château devint alors le moteur de l'expansion de Norwich, dans le Norfolk mais aussi dans toute la région d'East Anglia. Seul château royal de la région, il représentait le pouvoir du nouveau roi et l'administration.

Comme la plupart de ses contemporains, le château et ses dépendances furent au départ en bois. Le magnifique donjon en pierre ne fut construit que vers 1100, période pendant laquelle l'ensemble du château avec ses remparts

85. Norman house at St Martin-at-Palace Plain, Norwich (general view during excavations, looking towards Cathedral).
Photo Norfolk Archaeological Unit.

Maison romane du quartier Saint-Martin-at-Palace Plain, Norwich (vue générale prise lors de fouilles archéologiques, Cathédrale à l'arrière plan).

new area as the New or French Borough (83,84). The hub of this was the market place, which remains to this day and which soon eclipsed the old Saxon market place known as Tombland. Three new churches were set up in the French Borough: St Peter Mancroft which was founded soon after 1066 by Earl Ralph, with St Giles and St Stephen which were to follow in the late 11th or 12th centuries.

In 1094 the seat of the bishopric of East Anglia was moved from Thetford to Norwich, and within a short time work had begun on the construction of the cathedral and its surrounding close which was to extend to a size of about 36 acres (15 hectares). This was to have a drastic effect on the lay-out of this part of Norwich near the heart of the pre-Conquest town and its river port. Two churches were demolished and major routeways to the north and east were diverted. As with the castle, despite the initial dislocation, the imposition by the Normans of the cathedral contributed to the long-term pre-eminence of Norwich as the ecclesiastical centre of East Anglia.

Thus it was that within thirty years of 1066 the Normans had transformed the plan of Norwich by imposing three major elements of Norman power on the plan of Norwich

défensifs et ses fossés couvrait une superficie de 5.6 hectares.

La réduction des zones d'habitations en conséquence de la construction du château eut pour compensation la création d'une toute nouvelle zone pour le commerce et l'industrie, à l'Ouest du château où ne se trouvaient avant que des champs. Ce développement ne profita pas directement à la population locale mais aux marchands et autres commerçants arrivés à la suite du Conquérant. Ces marchands étaient connus sous le nom de 'Franci de Norwic', les Français de Norwich, et ce nouveau quartier fut nommé le 'Nouveau Bourg' ou encore 'Bourg Français' (83,84). Le centre de ce bourg était la place du marché, qui existe encore aujourd'hui, et qui bientôt éclipsa le marché saxon de Tombland. Trois nouvelles églises furent construites: Saint Peter (Pierre) Mancroft, fondée par le comte Ralph juste après 1066, Saint Giles (Gilles) et Saint Stephen (Étienne) suivirent à la fin du XIème et au début du XIIème siècles.

En 1094, le siège de l'évêché d'East Anglia, basé à Thetford, fut transféré à Norwich. La construction de la cathédrale commença aussitôt après. La cathédrale et son

86. Norman house (interior).
Photo by Norfolk Archaeological Unit.

Maison romane (l'intérieur).

87. Norman house (close up of window, showing stone facing).
Photo Norfolk Archaeological Unit.

Maison romane (détail d'une fenêtre montrant le revêtement en pierre).

and on the life of its citizens. The political and military might of the king was represented by the castle, the far-reaching influence of the Church by the cathedral, and wealth-producing trade and commerce by the French Borough and market place.

The growth of Norwich continued throughout the 12th century, although the population by about 1200 cannot be calculated. Archaeological evidence shows that the occupation extended southwards along King Street and Ber Street, and on the north side of the river north-westwards from the old Saxon defended area and northwards along Magdalen Street. In the earlier 12th century the bishop founded a church of St Paul and a hospital to the east of the Saxon defended area. A small suburb soon grew up around this focus. The rapid spread of the occupied area of the town can be seen through the growth in the number of parish churches. By c.1200 there were about 50 churches, an increase of 25% on the 40 in use in c.1100.

In common with those in the countryside almost all non-religious buildings in the Norman period were built of timber. In the later 12th century the first stone domestic buildings were constructed in Norwich. The undercrofts of

enceinte occupèrent un espace de 15 hectares. Ceci eut un effet radical sur la disposition de ce quartier de Norwich qui se trouvait près de la rivière et au coeur de la ville saxonne d'autrefois. Deux églises furent démolies et les routes principales au Nord et à l'Est furent déviées. Comme pour le château, l'imposition par les Normands de cette cathédrale, et malgré la dislocation initiale, était de contribuer à la domination à long terme de Norwich en tant que capitale ecclésiastique d'East Anglia.

C'est donc dans les trente années qui suivirent 1066 que les Normands surent imposer leur pouvoir sur la ville mais aussi sur le peuple de Norwich. Le puissant château représentait le pouvoir politique et militaire du roi, l'influence de grande portée de l'Église se matérialisait par la cathédrale, et le quartier français et la place du marché symbolisaient le commerce et l'industrie de l'envahisseur.

Même si le nombre total de la population vers 1200 ne peut être calculé précisemment, la croissance de Norwich se poursuivit tout au long du XIIème siècle. Des évidences archéologiques ont montré que la population s'étendait jusqu'aux abords de King Street et de Ber Street (au Sud de la ville), jusqu'au Nord de la rivière (Nord-Ouest de l'ancien quartier saxon fortifié et protégé), et vers Magdalen Street

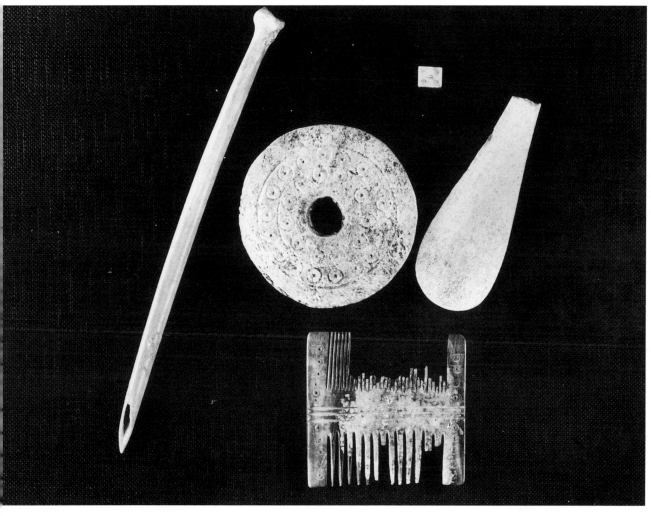

88. Bone pen, gaming-counter, die, spoon, and comb from the Norman house at St Martin-at-Palace Plain, Norwich.
Photo by David Wicks, Field Archaeology Division, Norfolk Museums Service.

Un stylo, un jeton, un dé, une cuillère et un peigne (tous en os) provenant de la maison romane du quartier de Saint-Martin-at-Palace Plain, Norwich.

two fine examples of such Norman buildings are known to survive. One of these stood at Palace Plain just north of the Cathedral Close in an area which was replanned in the 12th century (85-89). Discovered during the course of an archaeological excavation in 1981 on the south bank of the Wensum, it is now preserved beneath the Magistrates' Court. It was probably owned by the Cathedral Priory. The other building, known as the Music House, lies close to the river on King Street and the vaulted undercroft can also be viewed by the public. References to about thirteen other stone houses have been found in documents of the late 12th, 13th and 14th centuries. Most if not all of these buildings were probably of Norman date. Many of these may have been built by Jewish merchants, who were members of one of England's most important Jewish communities. Such groups were unknown in Saxon England, and their introduction into England was a result of the Norman Conquest. It is known that the Music House was inhabited by a wealthy early 13th-century Jewish financier named Isaac. In the late 1170s, his father Jurnet had added an aisled hall on the street frontage to a stone house of about 1150. This aisled hall no longer exists, as the house was extensively altered in the 17th

(au Nord). Au début du XIIème siècle, l'évêque fonda une église dédiée à Saint Paul et un hôpital à l'Est du quartier Saxon. Une petite banlieue se développa autour de ce quartier. La rapide croissance des habitations dans le quartier occupé se vit notamment dans le nombre d'églises également construites. Vers 1200, on trouvait 50 églises, alors qu'on en dénombrait seulement 40 en 1100, soit une augmentation de 25 %.

La plupart des maisons séculières construites pendant l'époque Normande, en campagne ou en ville, étaient en bois. À la fin du XIIème siècle apparurent à Norwich les premières maisons en pierre. Les caves voûtées de deux d'entre elles ont survécu jusqu'à nos jours. La première fut découverte lors de fouilles archéologiques en 1981 sur la rive Sud de la rivière Wensum, dans le quartier de Palace Plain, au Nord de l'enceinte de la cathédrale (85-89), quartier qui connut d'ailleurs des changements au XIIème siècle. Elle est maintenant préservée au dessous de la Magistrates' Court (Cour de Justice). Ce bâtiment appartenait certainement au prieuré de la cathédrale. L'autre cave voûtée, connue sous le nom de Music House

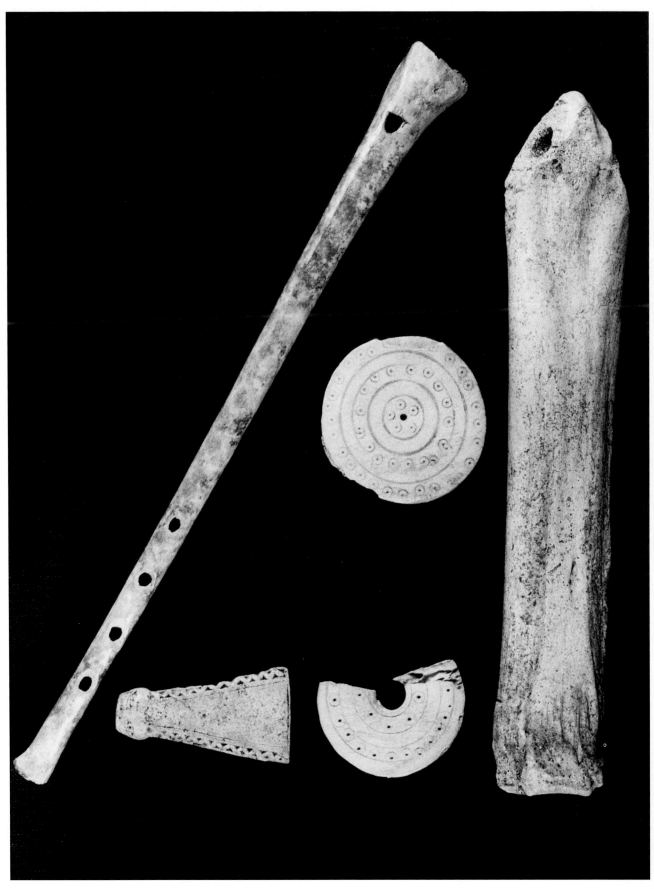

89. Bone objects from other 12th-century houses in Norwich: flute, gaming-pieces, carved handle, and skate.
Photo by David Wicks, Field Archaeology Division, Norfolk Museums Service.

Divers objets en os provenant de maisons à Norwich (XIIème siècle): flûte, pièces de jeu, manche décorée, patin à glace.

90. Music House or Jurnet's house, King Street, Norwich, detail of base of arcade in former aisled hall, late 1170s.
Photo by Robert Smith.

Maison de Jurnet ou Maison de la Musique, King Street, Norwich, détail de la naissance de l'arcade qui se trouvait autrefois dans l'ancien hall, fin des années 1170.

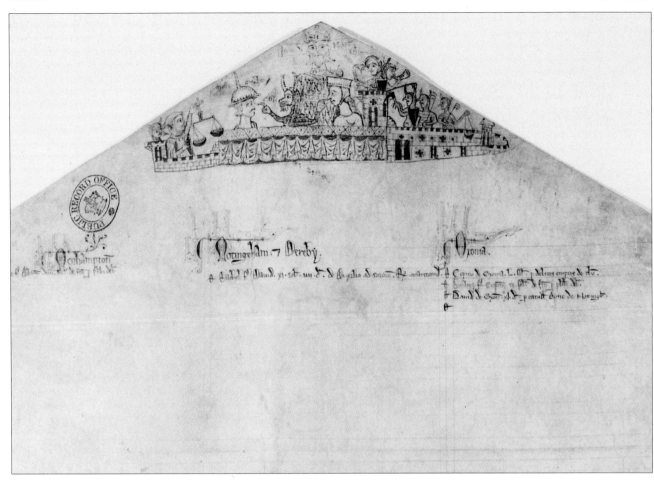

91. 'Cartoon' of the Jews in Norwich, 1232-1233.
Photo by kind permission of the Public Record Office.

'Bande dessinée' sur les Juifs de Norwich, 1232-1233.

century, but the base of an arcade survives (90). The wealthy owners were able to afford the same stone mason who worked on the cathedral infirmary. It is significant that most stone houses lay on the waterfront where the majority of mercantile activities took place. There were other groups next to Tombland and the market place in the French Borough near which the Jewish Quarter was situated (91).

The effects of the Norman Conquest on Norwich had made themselves felt on a massive scale by adding the new elements of castle, cathedral and French Borough. Yet by the end of the Norman period the town had received two royal charters, from Henry II and Richard I, and had expanded considerably to north, south and west. Richard's charter of 1194 (92) granted very important privileges to the town's citizens, the right to pay fixed annual dues to the king, exemption from tolls throughout the kingdom, the liberties and customs of London, and the freedom to elect their own reeves. As the regional and ecclesiastical centre for the most densely populated region of England, further growth was to occur throughout the boom years of the 13th century, but there is no doubt that, as has recently been written, 'The Norman impact upon Norwich was

(Maison de la Musique, Wensum Lodge), fut découverte près de la rivière, dans King Street. Ces endroits sont accessibles au public. Des références concernant treize autres maisons en pierre ont été trouvées dans des documents des XIIème, XIIIème et XIVème siècles. La plupart de ces maisons, si ce ne sont toutes, datent probablement de l'époque Normande. Beaucoup d'entre elles furent construites par des commerçants Juifs, faisant partie d'une des plus grandes communautés Juives d'Angleterre. De telles communautés étaient inconnues de l'Angleterre saxonne et leur introduction dans ce pays revint aux Normands. On sait que la Music House fut habitée par un riche financier Juif, Isaac, au début du XIIIème siècle. Cette maison fut construite en 1150, puis vers la fin des années 1170 le père d'Isaac, Jurnet, ajouta un hall avec une aile du côté rue de la maison. Ce hall a disparu car la maison a subi de nombreuses modifications au cours du XVIIème siècle. Mais la naissance d'une arcade a survécu (90). Cette famille devait être suffisamment riche pour pouvoir employer les mêmes maçons qui travaillaient à la cathédrale. Il est intéressant de constater que la plupart des maisons en pierres se trouvaient près des quais, où les activités marchandes s'effectuaient, tandis que d'autres maisons étaient

92. Norwich City Charter 1194.
Photo by C. S. Middleton for Norfolk Record Office, published with the kind permission of Norwich City Council.

Charte de la Ville de Norwich, 1194.

extraordinary, even by the standards of that extraordinarily energetic people'.

Thetford (93)

Soon after the Viking invasions of the later 9th century, Thetford had grown to importance because of its geographical position. It lay on a major routeway into Norfolk at an important river crossing, on either side of the Norfolk-Suffolk border with the bulk of the town on the Suffolk side. Today it is a small place in comparison with Norwich, but in the first half of the 10th century it was probably the larger of the two. Even in the years immediately after 1000 there was probably little to choose

construites près de Tombland et du bourg français, près duquel se trouvait également le quartier juif (91).

Les effets de la Conquête Normande sur Norwich se firent ressentir sur une grande échelle, en ajoutant à la ville un château, une cathédrale et un quartier français. À la fin de l'époque Normande, Norwich avait reçu deux chartes royales, l'une de Henri II et l'autre de Richard I, et s'était considérablement étendue au Nord, au Sud et à l'Ouest. La charte de Richard I, Coeur de Lion, de 1194, accordait des priviléges très importants aux citoyens de Norwich: le droit de payer des impôts annuels fixes au roi, exemption de péages à travers le pays, libertés et coutumes de Londres, et la possibilité d'élire leurs propres magistrats (92). En tant

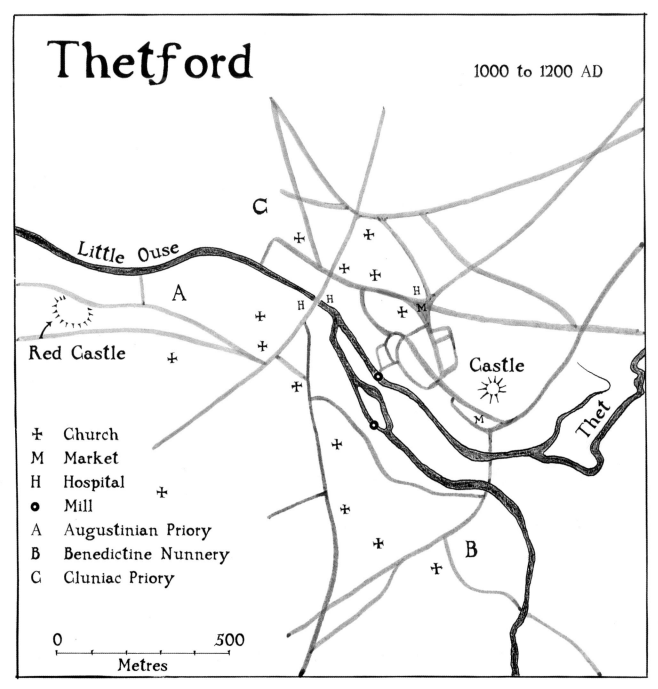

93. Plan of Thetford.
Drawing by Hoste Spalding.

Plan de Thetford.

between them in terms of size or importance. By 1066, when Thetford was ranked sixth in size amongst English towns, Norwich's population was greater, with 1320 burgesses compared with Thetford's 943. Twenty years later Thetford's total had dropped to 720 and 224 vacant houses were recorded. Norwich had suffered a similar drop. There is a certain amount of evidence from excavations on several sites in Thetford that activity continued to be intense until c.1080. It was probably after that time, in the closing years of the 11th century, that the decline set in.

The Normans certainly thought that Thetford was a place of importance. Soon after the Conquest the Earl of East Anglia constructed an immense earthwork castle on the Norfolk side of the river. In 1071 or 1072 the bishopric of East Anglia was transferred from North Elmham to Thetford, but after 23 years it was moved again to Norwich. However, even in 1104 Thetford was a sufficiently significant place to provoke Roger Bigod into founding a Cluniac monastery there (see Monasteries and Churches).

By 1130 in a taxation list of English towns, Thetford was placed fifteenth in order of wealth. A quarter of a century later the town was not even entered on a similar list. This story of decline can be illustrated by the fate of the Thetford mint. Coins had been produced there since the earlier 10th century, and in the 1040s Thetford was amongst the top nine coin-producing boroughs (94). No more coins were minted in the town after the reign of Henry II (1154-89). From the 13th century onwards it was a place of merely local importance, as a market and administrative centre.

que centre ecclésiastique de la région la plus peuplée d'Angleterre, une croissance supplémentaire se fit sentir au XIIIème siècle. Mais aucun doute n'est possible sur le fait que 'l'impact normand sur Norwich fut extraordinaire, selon les normes mêmes de ces hommes énergiques et remarquables'.

THETFORD (93)

Peu après les invasions Vikings de la fin du IXème siècle, la ville de Thetford dut son développement à sa position géographique. Thetford se trouve sur la route principale du Norfolk, et sur la frontière naturelle formée par la rivière Thet entre le Norfolk et le Suffolk, la partie la plus importante de la ville se trouvant du côté Suffolk. De nos jours, Thetford est une petite ville en comparaison avec Norwich, mais dans la première moitié du Xème siècle c'était très certainement la plus grande des deux. Même dans les années qui suivirent l'an 1000, on les différenciait certainement peu en terme de superficie et d'importance. En 1066, alors que Thetford était classée sixième au classement des villes par superficie, la population de Norwich était plus importante avec 1320 bourgeois contre 943 pour Thetford. Vingt ans plus tard, Thetford ne comprenait plus que 720 bourgeois et 224 maisons vacantes étaient enregistrées. Norwich connut aussi une baisse similaire. Des fouilles archéologiques ont permis de montrer que l'activité continua d'être intense jusqu'en 1080. Le déclin de Thetford se produisit probablement pendant les dernières années du XIème siècle.

Les Normands pensaient certainement que Thetford était

94. Silver pennies of William I minted at Thetford.
Photo by David Wicks, Field Archaeology Division, Norfolk Museums Service.

'Pennies' en argent à l'effigie de Guillaume le Conquérant, frappés à Thetford.

From what has been said it can be seen that the arrival of the Normans did not lead to the greater prosperity of Thetford, but it is doubtful whether the Conquest was directly responsible for the decline. One major cause must have been the rise of nearby Bury St Edmunds from the 1040s onwards which was the result of factors unconnected to the Normans. The choice of Norwich as the administrative capital of East Anglia cannot have helped the cause of Thetford, nor can the foundation of Bishop's Lynn at the end of the 11th century. The latter was to become a great international port in the 12th century, but as the role played by inland Thetford in such trade must always have been limited, its decline can have been accelerated only in part by the rise of Bishop's Lynn.

GREAT YARMOUTH (96)

Great Yarmouth, the third place to have burgesses in 1066, had only just begun to emerge as a town at the Conquest. A settlement grew up on a sand and shingle spit which was forming across the mouth of the estuary of the rivers Bure, Wensum and Yare. It is known that this spit cannot have been dry enough to allow human settlement until some time in the 10th century. There is no documentary reference to the place until 1066 but archaeological excavation has revealed evidence of a fishing community

une ville promise à un avenir. Peu après la Conquête, le comte d'East Anglia construisit une immense fortification en terre, destinée à recevoir un château du côté Norfolk de la rivière. En 1071 ou 1072, l'évêché d'East Anglia fut transféré de North Elmham à Thetford, mais 23 ans après, il fut de nouveau transféré à Norwich. Cependant, en 1104, Thetford était suffisamment important pour accueillir un monastère de l'ordre Cluniac (voir Monastères et Églises).

En 1130, selon une liste d'imposition des villes, Thetford était la quinzième ville la plus riche d'Angleterre. Un quart de siècle plus tard, la ville n'était même pas mentionnée! Ce déclin de Thetford peut s'illustrer par le déclin également de la production de monnaie. Des pièces de monnaies étaient frappées dès le début du Xème siècle, et vers 1040 Thetford était parmi les neuf premiers centres nationaux de production (94). Cette activité cessa après le règne de Henri II (1154-89). À partir du XIIIème siècle, la ville ne fut plus que d'importance locale, comprenant une place de marché et servant également de centre administratif.

Ainsi l'arrivée des Normands n'amena pas la prospérité à Thetford. Mais la Conquête se semble pourtant pas être seule responsable du déclin de cette ville. À partir de

95. Norman house in Great Yarmouth (Howard Street).
Photo Norfolk Archaeological Unit.

Maison romane à Great Yarmouth (Howard Street).

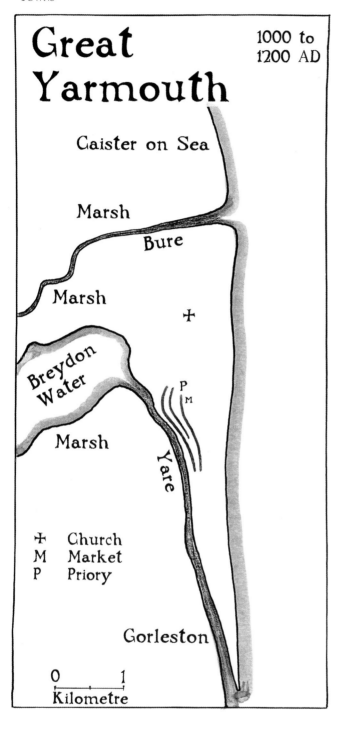

Great Yarmouth

1000 to 1200 AD

Caister on Sea

Marsh

Bure

Marsh

✝

Breydon Water

Marsh

Yare

P
M

✝ Church
M Market
P Priory

Gorleston

0   1
Kilometre

King's Lynn

1000 to 1200 AD

Gay

Great Ouse

✝

M

Purfleet

M
P

✝

Millfleet

✝

Nar

0   200
Metres

✝ Church
M Market
P Priory

96. Plan of Great Yarmouth.
Plan de Great Yarmouth.
Drawing by Hoste Spalding.

97. Plan of Bishop's Lynn (later King's Lynn).
Plan de Bishop's Lynn (la Ville de l'Evêque, maintenant King's Lynn).
Drawing by Hoste Spalding.

dating to c.1000. The area available for settlement here was from the start very restricted, with the sea to the east, the wide estuary to the west, the Bure to the north, and the Yare/Waveney to the south. The peculiarly elongated shape of this area led to the establishment of three main north-south streets interconnected by narrow east-west alleys known as 'rows'.

1040, la ville voisine de Bury St Edmunds commença son développement, ce qui n'était en aucun cas le résultat d'une influence normande. Puis le choix de Norwich en tant que capitale d'East Anglia et la création de Bishop's Lynn à la fin du XIème siècle n'aidèrent certainement pas Thetford à prospérer. Bishop's Lynn devint un important port de commerce international au XIIème siècle, mais

In 1066 and 1086 Yarmouth was owned by the king. There were 70 burgesses, as well as 24 fishermen who were entered in Domesday Book under the nearby manor of Gorleston in Suffolk. Thus we can see that Yarmouth's economy was from an early date based on the two functions of trade and fishing, and that the place had become more than a mere village before the Normans arrived. Domesday Book also mentions a church there, which was owned by the bishop. Soon after 1100 Bishop Losinga founded a new priory and parish church, St Nicholas (now one of the largest parish churches in England). He probably laid out the huge market place on the south side of the church, as well as the highly unusual street pattern with its famous rows. Architectural evidence for the rapid expansion and 12th-century prosperity of the port can be seen in the surviving Norman vaulted undercroft, probably part of a wealthy merchant's house, in Howard Street, some 660' (200m) south of the market place (95). Yarmouth was to flourish in the later Middle Ages as an international port particularly associated with the export of herrings and salt. It was ranked sixth in wealth amongst English towns in 1334.

BISHOP'S (LATER KING'S) LYNN (97)

Lynn was the western sister of Great Yarmouth: both places were ports and both owed much to the Bishops of Norwich for their early success. Lynn also grew rapidly to international status on rather precarious and marginal ground conditions, between the mouths of the Nar and Gaywood rivers. Here, though, it was on estuarine silt, rather than on blown sand and marine shingle, that the first settlement was established.

Unlike Yarmouth, Lynn was an almost entirely new foundation, a product of the Norman period. Domesday Book shows that in 1086 Lynn was only a small place, with nine salt-pans and only twelve householders listed. This settlement was around or close to the location of All Saints' church in the area known as South Lynn, although some inhabitants may have lived on patches of higher ground to the north. In the very late 11th century Herbert de Losinga, Bishop of Norwich, established the church and priory of St Margaret on a natural ridge of silt just to the north of South Lynn on the far side of a small stream. The church was built adjacent to the place where a market and fair were held, close to the banks of a large salt water estuary. This gave the town its name as 'Lynn' is derived from a Welsh word *llyn*, meaning a pool or lake. The market area still exists and is known as Saturday Market Place. It is likely that the most important materials exported through Lynn at this early date were salt, and wool from the large stocks of sheep which were pastured on the coastal marshes.

Although founded for ostensibly religious purposes, this deliberate plantation by Bishop Losinga was an

comme Thetford n'avait de toute façon toujours eu qu'un rôle limité dans un tel domaine, son déclin ne fut accéléré que par l'essor de Bishop's Lynn.

GREAT YARMOUTH (96)

Great Yarmouth venait tout juste de commencer à se développer en tant que ville au moment de la Conquête et se vit attribuer la troisième place en 1066 dans l'échelle des villes ayant des 'bourgeois'. Great Yarmouth se développa d'abord sur un banc de sable et de galets à l'estuaire de la rivière Wensum et des fleuves Yare et Bure. On sait que cet endroit n'était pas assez asséché pour que l'homme puisse s'installer ici avant le Xème siècle. Aucune référence documentaire de cet endroit avant 1066 n'existe mais des fouilles archéologiques ont révélé une communauté de pêcheurs vers l'an 1000. L'espace requis pour établir un village était au départ très limité avec la mer à l'Est, le vaste estuaire à l'Ouest, le fleuve Bure au Nord, et les fleuves Yare et Waveney au Sud. La forme étrangement allongée de cet endroit entraîna l'établissement de trois rues principales Nord-Sud, reliées entre elles par de petites allées Ouest-Est, appelées 'rows' (rangées).

En 1066 et 1086, Great Yarmouth était la propriété du roi. On y trouvait 70 bourgeois, et 24 pêcheurs enregistrés comme vivant au Manoir de Gorleston, dans le comté du Suffolk. L'économie de Yarmouth reposait depuis plusieurs siècles déjà sur le commerce et la pêche, et l'endroit était plus qu'un simple village à l'arrivée des Normands. Le Domesday Book notait également la présence d'une église, propriété de l'évêque. Peu après 1100, l'évêque Losinga fonda un nouveau prieuré et l'église paroissiale Saint Nicolas (de nos jours l'une des plus grandes d'Angleterre). Il organisa probablement la construction de l'énorme place de marché au Sud de l'église, ainsi que l'agencement peu commun des rues et de ses célèbres 'rangées'. La cave voûtée d'une maison ayant appartenu à un riche marchand, à quelques 200 mètres au Sud de la place de marché (Howard Street) est la preuve architecturale de la rapide croissance économique du port au XIIème siècle (95). Yarmouth se développa à la fin du Moyen Age et devint un port international, spécialisé dans l'exportation de harengs et de sel. En 1334, Yarmouth était la sixième ville la plus riche d'Angleterre.

BISHOP'S LYNN (MAINTENANT KING'S LYNN), LA VILLE DE L'ÉVEQUE (97)

Lynn était la 'soeur de l'Ouest' de Yarmouth. Ces deux villes étaient toutes deux des ports côtiers et toutes les deux devaient beaucoup de leurs premiers succès aux évêques de Norwich. Bien qu'implantée sur un banc de

98. Norman house in Bishop's Lynn (King Street).
Photo by Graham Pooley, Field Archaeology Division, Norfolk Museums Service.

Maison romane à King's Lynn (King Street).

immediate commercial success as a port, and in the 12th century it grew rapidly. The settled area spread to the north as far as another stream, the Purfleet, and inland to the east where a chapel of St James was established by Bishop Eborard in c.1125. Within a few years the continuing boom in trade brought more and more people to live in Lynn. This led Bishop William Turbus to sanction the laying out of an extension to the built-up area between 1146 and 1173. This lay north of the Purfleet and was known as New Land. It contained a massive additional market area, now known as Tuesday Market Place, with another chapel, St Nicholas, set back from its north-east corner. The need for land in the town seems to have been fairly continuous, and the area of settlement gradually extended westwards as more and more of the river edge was reclaimed by the large-scale dumping of refuse and the building of additional timber waterfronts. The present day riverline is an average of more than 330' (100m) west of its 12th-century predecessor. The importance of the town in the later Norman period can be seen in the remains of a fine stone house incorporated in a later building on King Street (98), as well as in the imposing fabric of St Margaret's Church.

vase à l'embouchure des rivières Nar et Gaywood, Lynn accéda rapidement à un niveau international.

Contrairement à Yarmouth, Lynn était une ville nouvelle, pur produit de l'époque normande. Le Domesday Book montre qu'en 1086 Lynn n'était qu'un simple village, avec neuf centres de production de sel, et seulement douze habitations. Lynn se situait alors près ou autour de l'église All Saints (Toussaints) dans le quartier connu sous le nom de South Lynn, même si certains habitants devaient vivre en groupes éparpillés plus au Nord. À la fin du XIème siècle, Herbert de Losinga, évêque de Norwich, établit l'église et le prieuré de Sainte Margaret, juste au Nord de South Lynn, à l'opposé d'un petit ruisseau, sur une corniche naturelle de vase. L'église fut construite près d'une place où un marché et une foire avaient lieu, au bord d'un large estuaire salin. Le nom de Lynn dérivait en effet d'un nom Gallois, 'llyn', signifiant plan d'eau ou lac. Le marché existe toujours aujourd'hui (marché du samedi). On peut estimer que les matières les plus exportées à cette époque étaient le sel, provenant des marais salants, et la laine des moutons élevés dans les prés salés.

99. New Buckenham planned town.
Reconstruction drawing by Piers Millington-Wallace, Field Archaeology Division, Norfolk Museums Service.

La ville planifiée de New Buckenham.

The 12th-century expansion of Lynn was indeed remarkable. It continued to be a thriving port in the later Middle Ages (it was ranked the eleventh richest English town in 1334). Unlike Yarmouth, which traded predominantly with the Low Countries, Lynn looked north to the Baltic, with wool and grain being the main exports.

THE SMALL TOWNS

Some aspects of urban life, in particular markets and fairs, were certainly not restricted to the two or three towns, even in 1066. **Downham Market** is known to have had a market before the Conquest, but no market is listed here in Domesday Book, which is surely quite incomplete on such matters. A market is entered for Holt, while a quarter and a half market are listed under **Litcham** and **Dunham**, two adjacent villages in central Norfolk (see Domesday Book). Apart from the missing quarter, other markets must have been held around the county in many places,

L'évêque Losinga choisit Lynn pour la fondation de son évêché pour des raisons purement religieuses mais cela apporta immédiatement un essor commercial au port et la ville se développa avec rapidité au XIIème siècle. La ville s'agrandit au Nord jusqu'à un autre ruisseau, le Purfleet, et vers l'intérieur des terres à l'Est où une chapelle dédiée à Saint Jacques fut établie par l'évêque Evrard vers 1125. En quelques années grace au 'boom' commercial, la population de Lynn augmenta. Ceci amena l'évêque Guillaume Turbes à instaurer une nouvelle politique visant à étendre la zone d'habitations entre 1146 et 1173. Cette expansion se trouvait au Nord du ruisseau Purfleet et était connue comme The New Land, la Nouvelle Terre. On construisit une nouvelle massive place de marché (maintenant le marché du mardi), associée à une autre chapelle dédiée à Saint Nicolas, dans le coin Nord-Est. Le besoin de terres se fit progressivement ressentir et les constructions s'étendirent vers l'Ouest tandis que les abords de la rivière servirent de décharge municipale et d'emplacement pour la construction de fronts de mer. Le lit de la rivière a bougé d'un peu plus de cent mètres à l'Ouest de son emplacement du XIIème siècle.

some of which were to become towns in the course of a major expansion in commercial activity which began in the middle of the 12th century.

Although many market towns were to emerge from existing settlements, others, such as **New Buckenham** (99), were deliberate plantations. Here the lord, William d'Albini, laid out a rectangular grid of streets with a market place within a defensive bank and ditch adjacent to his new castle in c.1150. A smaller version of a planted and planned town, again next to a castle, was established at **Castle Acre** by another great lord, William de Warenne (34). The d'Albinis had earlier set up another town next to their castle at **Castle Rising**. This too has a rectilinear street pattern, but there is no evidence that it was ever defended.

The role of the monasteries in the establishment of market towns in the county was not associated with planned layouts and defensive circuits, but monasteries acted as foci which encouraged the development and growth of market centres. Dues and tolls which could be extracted from the movement and sale of goods were very welcome to monastic authorities. **Wymondham** was granted a royal charter to hold a weekly market and three fairs a year in the 1130s, although it may have had a market for many years before then. **Binham** had a market in the early 12th century, and **Langley** had one by 1198 and another by 1199.

Not all the markets that had origins in the Norman period were to last until modern times. In the 13th century there was greater competition from many markets which had recently received royal charters. Indeed a total of about 140 markets are known to have existed in medieval Norfolk, but by about 1800 this had dropped to 17.

L'importance de la ville à la fin de la période normande se retrouve dans les ruines d'une maison en pierre incorporée plus tard à un autre bâtiment dans King Street (98), et dans la structure de l'église Sainte Margaret.

L'expansion de Lynn au XIIème siècle fut absolument remarquable. Lynn continua d'être florissante tout au long du Moyen Age et parvint à atteindre l'onzième rang des villes les plus riches d'Angleterre en 1134. Contrairement à Yarmouth qui faisait le commerce avec les Pays-Bas, Lynn se tourna vers les Baltiques et fit de sa laine et de ses céréales ses principales exportations.

LES PETITES VILLES

Quelques aspects de la vie urbaine, en particulier les marchés et les foires, n'étaient pas que l'apanage des grandes villes, même en 1066. **Downham Market** par exemple, avait un marché avant la Conquête, mais celui-ci ne fut pas mentionné dans le Domesday Book, qui se révèle d'ailleurs très incomplet à ce niveau. Un marché est attribué à Holt, alors qu'un quart et un demi de marché sont énumérés pour **Litcham** et **Dunham**, deux villages du centre Norfolk (voir Domesday Book). À part le quartier de marché manquant, divers marchés devaient certainement avoir lieu dans d'autres villages. Certains de ces villages devinrent des villes avec le développement commercial du milieu du XIIème siècle.

Bien que la plupart des marchés surgirent dans des villes déjà existantes, d'autres comme à **New Buckenham** (99) étaient délibérément créés: en 1150, le seigneur Guillaume d'Albini organisa sur ses terres un quadrillage rectangulaire de rues, avec des talus défensifs et des fossés entourant la place de marché, l'ensemble proche de son nouveau château. Guillaume de Warenne fit de même à **Castle Acre** dans une version plus petite. La famille d'Albini avait elle aussi construit un peu plus tôt **Castle Rising** sur le même plan de forme rectiligne, mais aucune preuve n'a permis de déterminer si cette construction avait été protégée.

Le rôle des monastères dans l'établissement des villes et de leurs marchés n'etait pas associé avec un plan rectiligne et un système de défense. Mais les monastères servirent de centres encourageant le développement et l'augmentation des marchés. Les taxes et péages provenant des mouvements et de la vente des marchandises étaient les bienvenus dans le revenu monastique. **Wymondham** reçut une charte royale en 1130 lui permettant de tenir son marché toutes les semaines et trois foires par an, alors que ce marché devait de toute façon déjà exister bien avant la charte. **Binham** eut un marché au début du XIIème siècle, **Langley** eut le sien en 1198 et **West Dereham** en 1199.

Les marchés originaux du XIIème siècle établis par les Normands n'ont pas tous survécu jusqu'à nous. Le XIIIème siècle vit la concurrence des nouveaux marchés établis par les chartes royales. Environ 140 marchés avaient lieu dans le Norfolk de l'époque médiévale, mais en 1800, ce nombre était tombé à 17.

COUNTRYSIDE

LES CAMPAGNES

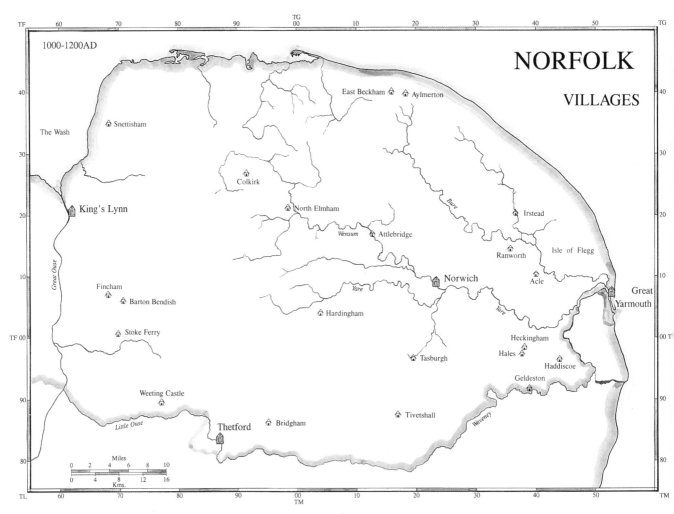

100. Villages mentioned in text.

Map by Hoste Spalding.

Villages mentionnés dans le texte.

Norfolk in the 1060s was, by contemporary English standards, a rich shire with a well-established and large population which had received its last injection of new blood from the Danish invasions of the late 9th and 10th centuries. With the exception of low-lying areas such as the peat fen of the south-west and the marsh of the Bure/Yare/Waveney estuary, almost every area had been settled and the various agricultural potentials of each part exploited.

The incoming Norman élite thus found a shire well-endowed with villages big and small, arable fields, woods,

Dans les années 1060, la région du Norfolk était, selon les normes contemporaines anglaises, un comté riche et prospère, avec une population nombreuse ayant reçu un sang nouveau, conséquence des invasions danoises des IXème et Xème siècles. A l'exception des régions peu élevées, telles les tourbières du Sud-Ouest et les marais formés par l'estuaire des fleuves Bure, Waveney et Yare, presque la totalité des terres était occupée et le potentiel agricole exploité.

L'élite normande trouva donc un comté doté de villages de plus ou moins grande importance, de champs arables,

pastures and meadows, a long-exploited landscape, most of which was utilised in one way or another and contained no major tracts of wild and untamed waste. In some parts, notably to the south of Norwich and in the east on the Isle of Flegg, there were more rural inhabitants than in any other parts of the country. The wealth of these people was firmly based on mixed agriculture made possible by a happy combination of good soils and dry climate. These factors had been at play for the six hundred years since the Anglo-Saxon invasions of the 5th century AD. They resulted in very high population densities of as many as 25 people per square kilometre in certain areas by 1086, the year of that great survey of the Norman kingdom, the Domesday Book.

Fortunately the political unrest which befell many parts of England in the years following the Conquest largely avoided Norfolk. This meant that throughout Norman times the story was one of an almost continuous increase in population and prosperity. Even the troubled times of the Anarchy during Stephen's reign in the 1140s did not restrain this steady growth.

POPULATION

In the county as a whole there may have been as many as 150,000 inhabitants by 1086. Of these about 93% lived in the countryside. A total of 731 places were named in Domesday, and of these only three were towns, **Norwich**, **Thetford** and **Great Yarmouth** (101). Since then very few places have been given names, among them **Irstead** and **Geldeston**. Almost all the vills listed and named in Domesday have survived in some form until today. Less than 20 named places remain unlocated, such as Narvestuna (Narveston) which lay somewhere near **Haddiscoe** in the south-east of the county.

Despite this continuity of place-names there have been considerable changes in the patterns of settlement within the areas of most vills which are listed in Domesday. By 1066 a rising population was leading to major alterations in these patterns which were to continue apace throughout the Norman period.

VILLAGES AND FARMS

Closely built-up villages were probably the normal type of settlement for most vills early in the 11th century. There were great variations in the size of these Domesday places. Some, like **Acle**, had as many as 65 tenants listed, suggesting a population of over 300, while only seven were entered for **Ranworth**. By the time of the Norman invasion a process of major change in the pattern of rural settlement had already begun. This process, the founding of both scattered single farmsteads and small hamlets along the

de forêts, de pâturages et de prairies, un paysage depuis longtemps exploité de différentes manières où aucun grand espace sauvage ne subsistait. Dans certains endroits de la région, notamment au Sud de Norwich et à l'Est de l'île de Flegg (près de Great Yarmouth), on trouvait plus de paysans que dans n'importe quelle autre région du pays. La richesse de ces paysans provenait de la diversité de l'exploitation agricole rendue possible grace au climat sec et à la fertilité des terres. Ces facteurs, utilisés d'ailleurs depuis les invasions anglo-saxonnes du Vème siècle, aboutirent en 1086 à une densité de population de 25 personnes au kilomètre carré dans certaines parties de la région. Cette année là fut rédigé, sous les ordres de Guillaume, roi d'Angleterre et duc de Normandie, le Domesday Book, ce cadastre des hommes et biens du territoire anglais.

L'instabilité politique qui régna en Angleterre après la Conquête n'affecta heureusement pas la tranquilité du Norfolk. La région connut alors une augmentation presque constante de sa population et de sa prospérité tout au long du règne des rois Normands. Même les troubles anarchiques pendant le règne d'Étienne de Blois vers 1140 eurent peu d'effet sur cette croissance régulière.

LA POPULATION

On peut estimer la population en 1086 à 150,000 habitants, dont 93% vivaient dans les campagnes. 731 endroits furent inscrits dans le Domesday Book, dont trois seulement étaient des villes: **Norwich**, **Thetford** et **Great Yarmouth** (101). La plupart de ces endroits ont survécu jusqu'à nos jours sous différentes formes. Et depuis 1086 seules quelques villes ont été nommées, comme **Irstead** et **Geldeston** par exemple. Moins de 20 endroits restent cependant encore à situer, dont Narvestuna (Narveston) qui devait se trouver quelque part près de **Haddiscoe** au Sud-Est du comté.

Malgré cette continuité dans la nomination des villages, des changements considérables dans la disposition de la plupart de ceux mentionnés dans le Domesday Book ont été entrepris. L'augmentation de la population conduisit à des altérations du paysage bien avant 1066, et ce phénomène se répéta tout au long de la période normande.

VILLAGES ET FERMES

Au début du XIème siècle la plupart des villages étaient construits sur un modèle dit 'nucléaire', et leur population variait énormément. **Acle** par exemple comprenait 65 tenanciers suggérant une population de 300 habitants, alors que **Ranworth** n'en possédait que sept. Un

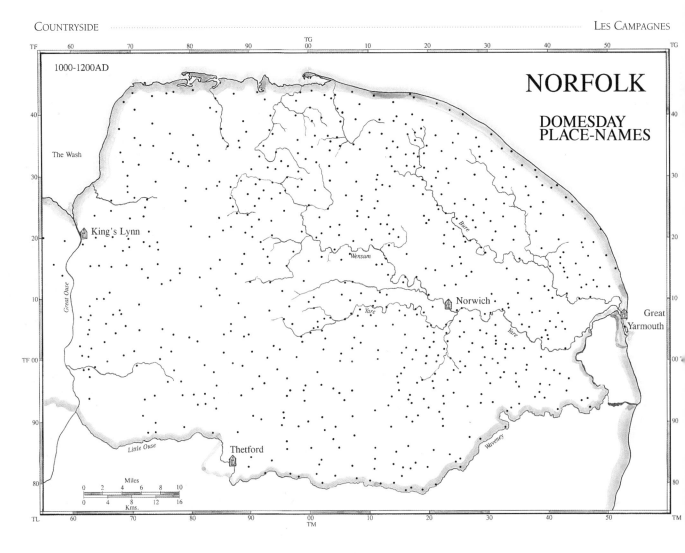

101. Place-names in Domesday Book.
Map by Hoste Spalding.

Villes et endroits mentionnés dans le Domesday Book.

edges of common pastures or greens and along roads, was to gather momentum in the 12th century, so that by 1200 AD in many areas the old village around the parish church had been severely reduced or even deserted. Meanwhile, local populations were continuing to expand as more and more of the common-edges were settled. These commons were the remains of a once much more extensive covering of woodland and wood-pasture, and they attracted settlement because of a growing need for pasture, a dwindling resource which became scarcer as population increased. This very straggly form of rural landscape has left us to this day with many a parish which has no obvious centre and no main area of houses, yet which contains a thriving population. Such places occur all over the county, with perhaps the best examples in the area of heavier soils to the south-east of **Norwich**.

Apart from the ramparts, mounds and ditches of castles there are no visible earthworks which can be dated to Norman times, although some moated manor sites are known to mark the positions of houses which were standing in the Norman period. Probably all those earthworks of settlement sites, of single farms, hamlets and

processus marquant un changement dans la disposition des villages était déjà en marche lors de l'invasion Normande. Ce processus, qui connut son apogée au XIIème siècle, voulait disperser les fermes et créer de petits hameaux le long des terres communales ou des pâturages et des routes. Ainsi vers 1200, le village avec son église paroissiale en son centre était en voie de disparition, ou avait déjà presque disparu. Pendant ce temps, les populations locales continuaient de s'accroître et les lisières des prés communaux se convertissaient en villages. Ces pâtures communales couvraient autrefois des bois et des clairières. Avec l'augmentation de la population, le défrichement des forêts se fit pour laisser place à des pâturages, une ressource qui se tarissait au fur et à mesure que la population augmentait. Cette forme très disséminée du paysage nous a légué quelques villages n'ayant pas de 'centre villes' ou de zone principale d'habitations, bien qu'ayant tout de même une population florissante. De tels endroits apparaissent dans tout le comté, les meilleurs exemples se trouvant au Sud-Est de **Norwich** où les terres étaient argileuses.

À part les remparts, les tertres artificiels et les fossés des

villages, which have survived here and there in pockets of unploughed grassland, are of later medieval date. However, in Norfolk a great deal of archaeological fieldwork has been carried out in recent years with the aim of locating evidence on the surface of arable fields, mostly in the form of concentrations of earthenware pottery fragments, for the sites of vanished houses. These surveys have met with considerable success, and the patterns of settlement and the changes in these patterns over the centuries have now been mapped in several areas. The rapid and continual rise in population through the 12th century and beyond, and the spread of common-edge settlement in many areas are the two main themes to emerge from this work.

These themes are best shown in the results of a field survey of Norfolk Marshland, that area of fertile silt south of the Wash between Kings Lynn and Wisbech. The villages of Marshland were quite sparsely populated at the time of Domesday Book and only 31 sites dating to the 11th century were found. This figure rises to 97 for the 12th century (and to 195 for the 13th). The additional sites were spread out along a series of drove roads which led to a large area of common pasture which was shared out between the villages. In addition the edges of small common or greens were settled for the first time as were the sides of a complex of tracks which interlinked these greens. The same pattern of a huge expansion in the number of settlement sites and the colonisation of common edges has been discovered in places as far apart as **Hales/Heckingham** in the south-east and **Barton Bendish** in the south-west. Along with the expanding population went an increase in the areas brought into cultivation, as the open fields were expanded and new areas were cut from wood and waste. Field surveys have been able to map at least some of this expansion by plotting the incidence of pottery fragments accidently incorporated into farmyard manure and strewn over arable fields. Much larger areas can be seen to have been ploughed by 1200 AD than a century earlier. If anything the expansion may have been greater than the archaeological evidence suggests, because those fields furthest from the village or farm may have been manured more normally by the folding of sheep and only rarely by the dumping of farmyard waste.

châteaux, il n'existe plus de fortifications en terre de l'époque normande encore visibles, bien que certains sites manoriaux entourés de fossés puissent marquer l'emplacement de maisons qui se tenaient à cet endroit. Fermes, hameaux et villages, ayant survécu jusqu'à nos jours et recouverts de pâtures permanentes, datent de l'époque médiévale. En revanche, dans le Norfolk des recherches sur le terrain ont cherché à localiser des preuves sur des champs arables. Ces preuves sont apparues sous la forme de fragments de poterie en terre cuite, trouvés à l'emplacement des maisons disparues. Ces recherches se sont révélées donc fructueuses et elles ont permis de définir l'agencement des villages et leur évolution à travers les siècles. La croissance rapide et continuelle de la population au XIIème siècle et d'après, ainsi que le développement des terres communales furent les deux thèmes principaux émergeant de ces études.

Les thèmes cités ci dessus furent également développés dans une étude des marais du Marshland du Norfolk, un terrain de limon au Sud du Golfe du Wash entre King's Lynn et Wisbech. Les villages étaient peu habités lors de la réalisation du Domesday Book et seulement 31 sites datant du XIème siècle ont été localisés. Ce chiffre atteignit 97 au XIIème siècle et 195 au XIIIème siècle. Les villages supplémentaires se répandaient le long de routes menant aux pâtures communes partagées entre eux. De plus, les lisières des plus petites pâtures étaient pour la première fois installées en même temps que les chemins reliant les pâtures entre elles. Le même agencement, du à une importante expansion du nombre de villages et la colonisation des lisières des pâtures communes, a été découvert aussi loin que **Hales/Heckingham** au Sud-Est et **Barton Bendish** au Sud-Ouest. À la croissance de la population s'associa la culture de nouveaux champs. Les plaines s'agrandirent et les forêts défrichées firent place à de nouvelles terres. Les recherches sur le terrain ont déterminé une partie de cette expansion par la présence de poterie accidentellement incorporée aux engrais des fermes et répandue sur les champs. Vers 1200, les terres cultivées étaient bien plus grandes qu'un siècle plus tôt. Et l'on peut même imaginer que l'expansion fut bien plus importante que le suggérent les recherches archéologiques. Les champs éloignés du village ou de la ferme pouvaient avoir été fumés plus par l'élevage des moutons que par le fumier de la ferme.

THE CHURCH

L'ÉGLISE

The parish church, to this day the most imposing building in nearly all villages, was almost always so in Norman times. A great boom in church building had begun in the 10th century. This was led not by the Church itself or by the monasteries, but by the land-owning English laity. Many hundreds of what were effectively private churches were built, usually of timber, throughout the wealthier and more populous parts of the land. In Norfolk where good building stone does not occur, masonry churches were extremely rare before the Norman Conquest. The cathedral

L'église paroissiale, encore de nos jours l'un des édifices les plus imposants d'un village, occupait certainement la même place à l'époque normande. Le Xème siècle vit la construction de nombreuses églises. Celles-ci n'étaient pas commandées par l'Église ou par les monastères, mais par les propriétaires anglais privés. Généralement en bois, plusieurs centaines de ces églises furent ainsi construites dans les parties les plus riches et les plus peuplées de la région. Dans le Norfolk où l'on manquait de pierre à bâtir,

at **North Elmham** was still a timber structure in 1071 or 1072 when the bishopric was moved to **Thetford**. After the Conquest the rebuilding in stone of the large number of parish churches soon got under way, but probably took a good century to achieve.

Domesday Book does not present a true picture of the number or distribution of churches in Norfolk. Churches are entered for 217 rural places in the county. Some villages, such as **Tivetshall**, had two churches. In at least one case the listing of two churches under one place was not the full story: at **Barton Bendish** archaeological evidence has shown that a third church, in addition to the two entered in Domesday, was standing in the middle of the 11th century. In contrast to the multiplicity of churches, a few villages had fractions of churches, for example there was half a church at **Aylmerton**, and one and a quarter at **Stoke Ferry**. This anomaly can be explained when it is remembered that many references to churches were left out of Domesday Book. In reality many more places must have had churches. Nine villages not listed as having churches did have priests, and it is hard to imagine that they said mass only in the open air. Some of these priests could however have been absentee landowners. Sometimes other contemporary sources mention a church at a place where Domesday does not, such as **Bridgham** and **West Walton**, while one pre-Conquest document refers to churches in nine named places, of which only four were entered in the Domesday Book. Some scholars consider that almost every village in Norfolk would have had a church by 1066, after what one writer has called 'Late Saxon...church-building on a ferocious scale'. At the same time the church authorities began to move away from the Saxon concept of the privately founded and owned church towards an arrangement of parish churches and parish priests which was more akin to our present-day system. The booming period of church foundation also ceased with the arrival of the Normans, whose greatest influence was to be on the fabric and construction of the churches rather than their number.

Before the end of the 12th century many hundreds of churches had been rebuilt in stone. Perhaps all Norfolk parish churches had been thus transformed. These buildings differed greatly in style and size, but their survival until the present has largely depended on their subsequent history. Some Norman churches have long since vanished while others were rebuilt on a grand scale in later medieval times. Thus in many churches there are no parts of the standing walls that can be confidently dated to the late 11th or 12th centuries, although close inspection will often reveal pieces of tooled and sometimes decorated Norman stonework re-used in walls built in the 13th-15th centuries.

THE PEOPLE AND THEIR HOUSES

What classes of inhabitants were there in the countryside of Norman Norfolk? The social structure and tenurial organisation of the county had been very complicated

les églises en pierre étaient extrêmement rares avant la Conquête Normande. La cathédrale à **North Elmham** était encore en bois lorsque l'évêché fut transféré à **Thetford** en 1071 ou 1072. Après la Conquête la reconstruction en pierre d'un très grand nombre d'églises paroissiales commença mais prit probablement un siècle avant son achèvement.

Le Domesday Book ne donne pas une image vraie du nombre d'églises dans le Norfolk. 217 villages avaient des églises. Quelques villages, dont **Tivetshall**, ont été enregistrés comme ayant deux églises. Dans certains cas, l'énumération de deux églises sous un seul nom de village ne correspondait pas à la réalité. Alors que **Barton Bendish** fut enregistré comme ayant deux églises, des recherches archéologiques ont montré qu'une troisième église se dressait dans ce village au milieu du XIème siècle. En opposition avec la multiplicité des églises, quelques villages possédaient seulement une fraction d'église, par exemple **Aylmerton** n'avait qu'une moitié d'église et **Stoke Ferry** avait droit à une église un quart. Cette anomalie peut s'expliquer par le fait que beaucoup de références concernant les églises ont été laissées de côté. En réalité, beaucoup plus d'endroits devaient posséder des églises. Neuf villages mentionnés comme n'ayant pas d'église, possédaient néanmoins des prêtres, et il est difficile d'imaginer ceux-ci servant la messe au plein air! Certains de ces prêtres pouvaient être cependant des propriétaires habitant autre part. D'autres documents de l'époque ont mentionné une église, là où le Domesday Book n'en faisait pas mention, tels que **Bridgham** et **West Walton**. Un document établi avant la Conquête se réfèra à des églises dans neuf villages, alors que le Domesday Book n'en dénombrait que quatre. Quelques érudits considèrent que la plupart des villages du Norfolk avaient leur propre église en 1066, ceci après qu'un auteur eut défini la fin de l'époque saxonne 'comme une époque de construction d'églises à une grande échelle'.

En même temps, les autorités religieuses commencèrent à évoluer vers un nouveau système d'églises paroissiales et de prêtres plus proche de notre système actuel, alors que le concept anglo-saxon était basé sur la fondation et la propriété d'églises par quelques personnes en particulier. La construction intense d'églises cessa avec l'arrivée des Normands, dont l'influence s'exerça plutôt sur la qualité de la construction et de l'architecture que sur la quantité.

Avant la fin du XIIème siècle, plusieurs centaines d'églises furent reconstruites en pierre. Peut être que toutes les églises paroissiales du Norfolk furent ainsi transformées. Ces édifices se différenciaient par leur style et leur taille, mais leur survivance jusqu'à nos jours depend en grande partie de leur histoire. Plusieurs églises ont depuis bien longtemps disparu mais d'autres ont été reconstruites sur une plus grande échelle à la fin de l'époque médiévale. Ainsi dans beaucoup de cas, on ne peut dater avec précision les murs des fondations que comme étant fin XIème ou XIIème siècles. Par contre, une étude approfondie peut parfois révéler certaines pierres de maçonnerie ciselées ou décorées, ré-utilisées dans les constructions des XIIIème, XIVème et XVème siècles.

before 1066. By introducing a rigidly triangular system of land tenure with the king at the apex and the mass of the peasantry at the base, the Normans were attempting, with only partial success, to streamline and simplify this complexity. It has been suggested that the Normans succeeded only in fossilising the situation, which continued to be complex and idiosyncratic throughout the medieval period.

Beneath the 60 tenants-in-chief, the predominantly great men who held their lands directly from the king and who were often people of national importance, there came a mixed class of landholders who were to become the knights of the later Middle Ages. Amongst this class was a majority of incoming Normans, although some were indigenous. These people were lords of the manor, a local unit of land tenure and jurisdiction which in Norfolk rarely covered the same area as a village or parish, for some manors extended over several villages, and most villages contained more than one manor. This manorial system became more complicated during the 12th century and later by a process of fission, as parts of manors were granted out through marriage, gift, sale and inheritance. One result of this complication was a proliferation of manor houses. Little is known about such buildings in the Norman period, but we can be sure that all except a few held directly by tenants-in-chief were constructed of timber. Many were probably on the same sites as their later medieval successors, but moats which were so often dug around manor houses and their outbuildings did not become fashionable until the middle or later 12th century. Some of the earliest moats were roughly circular in plan. Good examples can be seen at **Colkirk** and **Hardingham**. On the other hand many of the earliest moated enclosures were probably rectangular. For example at **Weeting** Castle a Norman tower stands within a wide moated rectangle. The early medieval manor house, unlike the country house of the post-medieval period, did not stand alone. Because it was at the centre of a farm it was adjacent to a complex of agricultural buildings, such as barns, byres, stores and stables. Many of these would lie outside the moated enclosure, while others were surrounded by subsidiary moats.

In every village there were men whose status allowed them to be free from all or most of the burdens of works and services that the manorial lord imposed on the unfree peasantry. In later Saxon times many of the free population were not attached to a particular manor, and as a result Norman policy was aimed at bringing them into the manorial system. At the time of the compilation of Domesday Book there were very large numbers of free villagers in the county, amounting to c.40% of the total population. Many such people, though of free status, must have been very poor for they had extremely small parcels of land, which were sometimes, as in the case of the holding of a free tenant of the king in **East Beckham**, as small as one acre. The free peasantry was divided into two categories, free men (*liberi homines*) and sokemen (*sochemanni*). Some of the latter type, who were the less

LES HABITANTS ET LEURS MAISONS

Qui étaient les habitants à cette époque dans les campagnes du Norfolk? L'organisation sociale et tenancière du comté était très complexe avant 1066. Les Normands voulurent simplifier cette organisation en introduisant un nouveau système relativement rigide avec le roi, dépositaire des terres au sommet de ce système, et la masse des paysans en bas de l'échelle. Les Normands n'y réussirent que partiellement, en partie parce qu'ils fossilisèrent le système. Celui-ci demeura complexe et caractéristique de l'époque médiévale.

Après le roi, venaient les tenants-en-chef (60 dans le Norfolk) dont les terres avaient été accordées directement par le roi et qui étaient en général des personnages de notoriété et d'importance nationales. Ensuite venait une classe variée de propriétaires qui devinrent plus tard les chevaliers de la fin du Moyen Age. La majorité de ceux-ci étaient des envahisseurs normands, bien que certains étaient tout de même natifs du pays. Ces personnes étaient les seigneurs d'un Habitations. Il faut voir dans ce terme 'manoir' une unité de mesure des terres et un terme également de juridiction qui dans la région du Norfolk coïncidait rarement avec un village ou une paroisse, mais s'étendait sur plusieurs villages. La plupart de ces villages dépendaient de plusieurs manoirs. Ce système manorial se compliqua au XIIème siècle et plus tard, car les terres d'un manoir se retrouvèrent divisées en cas de mariages, cadeaux, ventes ou héritages. L'une des conséquences fut la prolifération des habitations. On sait peu de choses de ces constructions normandes, mais nous sommes certains que la plupart d'entre elles, à l'exception de certaines habitées par les barons, étaient en bois. Les constructions qui apparurent plus tard dans l'époque médiévale se situaient certainement aux mêmes endroits.

Cependant ce ne fut qu'au milieu du XIIème siècle que les fossés entourant ces manoirs et leurs dépendances devinrent 'à la mode'. Les premiers fossés étaient à peu près circulaires. On peut en voir de bons exemples à **Colkirk** et **Hardingham**. D'un autre côté, les enceintes et fossés des tous premiers manoirs étaient probablement rectangulaires. Par exemple, à **Weeting** Castle, une tour normande se trouve à l'intérieur d'une vaste douve rectangulaire. Le manoir du début de l'époque médiévale, au contraire de la demeure de l'après Moyen Age, n'était pas le seul bâtiment au milieu des terres. Parce qu'au centre de la ferme, il était entouré d'un ensemble de dépendances, telles que granges, étables, écuries et les réserves. La plupart de ces bâtiments se trouvaient dans une ou deux cours en dehors, et parfois entourés de fossés subsidiaires.

Dans chaque village, on trouvait des hommes 'libres' qui ainsi n'accomplissaient pas les travaux et les services que le seigneur ne manquait pas d'imposer à la paysannerie non-libre. À la fin de la période saxonne, beaucoup de ces paysans libres n'étaient pas attachés à un manoir en particulier. De ce fait, la politique normande fut justement

privileged, found themselves depressed, in the course of the following century, into the ranks of the unfree. Nevertheless, the continuance of the free element in the rural population meant that manorial power in Norfolk was usually weak, particularly in the centre and east, and this weakness was to persist for centuries.

Unfree peasants at the time of Domesday were divided into several categories, serfs or slaves (*servi*) who were landless and at the base of the pile, smallholders (*bordarii*), and the slightly superior class of villagers or villeins (*villani*). These unfree or 'bond' men were not in general very highly burdened with duties and rents by the lord in comparison with unfree peasants in some other counties. By 1086 the number of slaves was decreasing rapidly and this class was soon to disappear entirely. The differences between the other two types of unfree were to be blurred over the course of the 12th century when the long process of the conversion of work duties owed by the peasant to the lord into money payments had on some manors already begun. The peasant classes were of course made up entirely of Anglo-Saxon stock, with a strong admixture of Danish.

de les inciter à s'intégrer dans le nouveau système. Au moment de la réalisation du Domesday Book, un grand nombre de paysans étaient libres, représentant jusqu'à 40 % de la population totale. Malgré leur condition particulière, beaucoup de ces personnes étaient certainement très pauvres, car ne possédant qu'une infime parcelle de terre, qui comme à **East Beckham** par exemple, ne représentait parfois qu'un demi hectare. La paysannerie libre était elle même divisée en deux groupes: les hommes libres (*liberi homines*) et les sokemen (*sochemanni*). Ces derniers, les moins privilégiés, se trouvèrent intégrés dans les rangs des paysans non libres au cours du siècle suivant. Néanmoins, la continuité de cette liberté dans la population rurale indiqua que le pouvoir du manoir dans le Norfolk était généralement faible, particulièrement dans le Centre et l'Est, et cette faiblesse persista pendant des siècles.

Les paysans non libres se trouvaient divisés en différentes catégories lors de l'écriture du Domesday Book: les serfs ou esclaves (*servi* en latin) ne possédaient pas de terres, les petits paysans de la classe moyenne (*bordarii* ou bordiers) et les vilains, classe supérieure de villageois (*villani*). Ces paysans non libres n'étaient pas en général trop pressés de

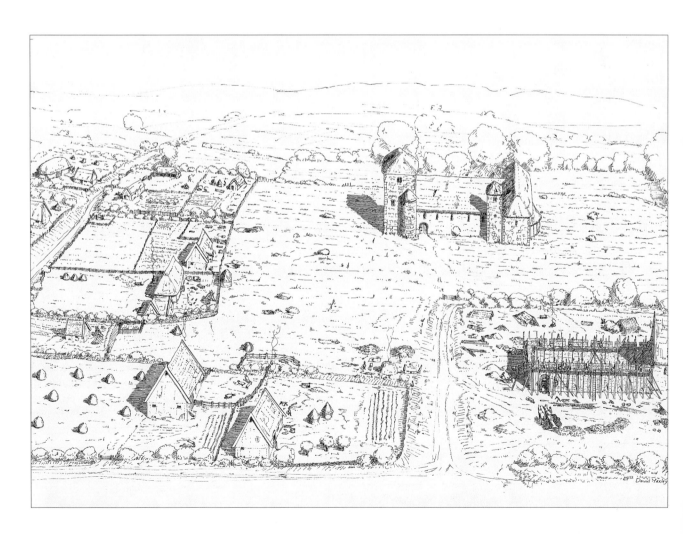

102. Peasants' houses at North Elmham (left).
Reconstruction by David Yaxley.

Maisons paysannes à North Elmham (à gauche).

The generally low regard in which they were held by their Norman overlords can be seen in the way in which a Latin word commonly used to mean unfree tenant, *nativus*, had carried the meaning of aboriginal or native, i.e. non-Norman. The term was still used in the 16th century.

Not a great deal is known about the houses in which peasants, either free or unfree, lived in the 11th and 12th centuries, because none survives above ground, and the remains of very few rural buildings have been excavated. Only at **North Elmham** has a full series of peasant buildings spanning the period between the 8/9th and 12th centuries been revealed (102), with the odd single structure being excavated elsewhere at places such as **Tasburgh** and **Attlebridge**. In the years running up to the Norman Conquest houses were single-storey rectangular buildings, often twice as wide as broad, constructed of timber. Upright posts were fixed into the ground and the spaces between them filled with planks or clay. Roofs were covered with organic material, probably thatch or perhaps occasionally oak shingles. In the 12th century as timber became scarce there was a switch to the use of clay or earth in the construction of walls. This was not preformed into blocks as in clay-lump (a technique unknown in Norfolk until the 18th century), but rammed down in layers between temporary shuttering to produce walls of considerable thickness, and strength if kept dry. Many houses with walls built in this tradition, known as cob, still stand in Somerset. Apart from dwelling houses peasants may have other buildings such as stables, pig-sties, cartsheds and grainstores. All would probably have been arranged around a yard, and the whole would have been set within a fenced, hedged or ditched enclosure known as a toft. Tofts occurred in small groups or singly, often along the margins of commons or greens, or flanking roads. Rather than these loose and dispersed settlements, some villages continued to be compact or 'nuclear' in plan, just as they had been before the Norman Conquest. Such places are much more common in the west of the county and can be seen at places such as **Fincham** and **Snettisham**.

FARMING (103-105)

The importance of arable farming in Norfolk was almost as great in Norman times as it is today. Domesday Book measured the arable wealth of each village by listing its plough-teams, both those of the lord on his own land or 'demesne' and those of the tenants. Plough-teams consisted of 4 pairs of oxen. As many as c.5000 are listed for the county, and their distribution mirrors quite closely that of the human population, with the highest incidence of plough-teams occurring to the north-east and south of

travail ni submergés de taxes si on les compare avec les paysans d'autres régions. À partir de 1086, le nombre de serfs diminua rapidement et cette classe particulière disparut bientôt. Les deux autres types de paysans non libres se confondirent durant le XIIème siècle avec le début d'un long processus de conversion des travaux dus par les paysans à leur seigneur en paiements numéraires. Les classes paysannes ne comprenaient bien évidemment que des anglo-saxons, mais aussi une très forte proportion de Danois. Le peu de considération que les seigneurs normands accordaient à ces paysans se reflétait dans un terme latin, *nativus*, signifiant 'arborigène' ou 'natif', c'est-à-dire sans origine normande. Le terme était encore utilisé au XVIème siècle.

On ne sait pas cependant dans quelles sortes d'habitations les paysans, qu'ils soient libres ou non, vivaient aux XIème et XIIème siècles, car aucune construction n'a survécu au sol et les quelques rares exemples de fondations qui sont encore présentes n'ont pas toutes fait l'objet de fouilles archéologiques. Cependant on peut voir à **North Elmham** des ruines de maisons paysannes datant du VIIIème siècle jusqu'au XIIème siècle (102). Mais on trouva aussi à **Tasburgh** et **Attlebridge** la structure architecturale simple et typique de l'époque romane. Les années précédant la Conquête virent des maisons tout en rez-de-chaussée, de forme rectangulaire, souvent deux fois plus longues que larges et construites en bois. Des montants étaient fixés dans le sol et l'espace entre eux comblé avec des planches ou de l'argile. Les toits étaient certainement en chaume ou occasionellement en bardeaux de chêne. Au XIIème siècle, alors que l'approvisionnement en bois se raréfiait, on se tourna vers l'argile ou la terre pour la construction des murs. La terre n'était pas utilisée en bloc, comme la technique des blocs (briques) d'argile qui n'apparut dans le Norfolk qu'au XVIIIème siècle, mais tassée en couches entre des planches provisoires, produisant ainsi des murs d'une considérable épaisseur, qui se renforcaient en séchant. On enlevait ensuite les planches de soutien. Quelques maisons construites de cette façon et appelées 'cob' sont encore visibles dans la région du Somerset (Sud-Ouest de l'Angleterre). À part les maisons d'habitation, les paysans pouvaient avoir également d'autres bâtiments tels que des écuries, des porcheries, des étables et des granges. Ces constructions se trouvaient aménagées dans une cour et l'ensemble était entouré de barrières et/ou d'une enceinte et d'un fossé, et étaient appelées 'toft'. Ces exploitations apparaissent en petits groupes ou individuellement, le plus souvent le long des prés communaux ou des routes adjacentes. Au lieu d'être éparpillés et dispersés, certains villages continuèrent à être compactes ou 'nucléaires' dans leur agencement, de la même façon qu'ils l'étaient avant la Conquête. De tels endroits sont beaucoup plus communs dans l'Ouest, comme par exemple à **Fincham** et **Snettisham**.

L'AGRICULTURE (103-105)

Les terres arables dans le Norfolk étaient presque aussi importantes qu'aujourd'hui. Le Domesday Book mesurait

103. Font in St Mary's Church, Burnham Deepdale (right to left: January-April). *Photo by Richard Tilbrook.*

Fonts baptismaux de l'Église Sainte Marie à Burnham Deepdale (droite à gauche: scènes de Janvier à Avril).

Norwich. Little is known of the physical arrangements of arable lands in the Norman period. No clues are given in Domesday Book itself. However, the slight evidence of some pre-Conquest and other rather later documents points to the widepread use of open-field farming, in which the arable of every villager lay in unenclosed strips in large common open fields. Norfolk was rather different to some areas, particularly to the Midland counties. A peasant's lands were often not so widely scattered through the open fields of the village as in the Midlands, and they might be concentrated in only one open field. In the central and eastern parts of Norfolk, systems of communally agreed cropping and fallowing rotations were likewise less developed than in many areas. Norfolk arrangements were generally much more flexible and individual.

Of other animals other than the oxen of the plough-teams, Domesday Book lists only those which belonged to the lord of a manor. The figures are known to be incomplete in many cases, but they give a general impression of the varying importance of different species. Sheep, for example, totalled over 46,000, while goats reached only 3000. Just over 1000 horses, including wild

la richesse agricole de chaque village en figurant le nombre d'attelages disponibles pour les labours, aussi bien les attelages qui travaillaient pour le seigneur sur ses terres ou domaine que ceux des tenants-en-chef. Un attelage comprenait quatre paires de boeufs. 5000 furent dénombrés pour la région, et leur répartition reflète celle de la population, les plus hauts taux de concentration se trouvant au Nord-Est et au Sud de Norwich. Par contre, on sait peu de choses sur l'arrangement des terres arables pendant la période normande. Même le Domesday Book ne l'explique pas. Cependant, de minces évidences provenant de documents datant d'avant et d'après la Conquête indiquent le développement de l'agriculture selon un système de plaines. Les terres arables de chaque villageois étaient disposées en longues bandes dans les champs communs. Le Norfolk était relativement différent des autres régions, en particulier des Midlands. Les terres du paysan n'étaient pas aussi largement dispersées que dans les Midlands, et elles pouvaient être concentrées dans un seul champ. Au Centre et à l'Ouest du Norfolk, un système de jachères et de partage des récoltes était de même moins développé que dans d'autres régions. Ce système était d'un caractère plus flexible et plus individuel.

Outre les boeufs, seuls les animaux appartenant au seigneur du manoir furent inscrits dans le Domesday

104. Font in St Mary's Church, Burnham Deepdale (right to left: May to August).
Photo by Richard Tilbrook.

Fonts baptismaux de l'Église Sainte Marie à Burnham Deepdale (droite à gauche: scènes de Mai à Août).

105. Font in St Mary's Church, Burnham Deepdale (right to left: September to December).
Fonts baptismaux de l'Église Sainte Marie à Burnham Deepdale (droite à gauche: scènes de Septembre à Décembre).
Photo by Richard Tilbrook.

mares, were listed. This contrasts noticeably with a mere pair of donkeys, and a solitary mule (in **Rudham**). Very few cows, which were important for breeding oxen rather than for dairy produce, were entered. The tiny total of 23 was obviously greater, and many are probably hidden under a miscellaneous category of *animalia*. Beehives on the lords' demesne were sometimes listed, over 400 in all.

Book. Les chiffres sont incomplets dans plusieurs cas, mais ils donnent une idée générale des différentes espèces. 46 000 moutons furent enregistrés alors que l'on dénombrait simplement 3000 chèvres. Par contre 1000 chevaux et juments sauvages furent recensés. Ceci contraste notamment avec un simple couple d'ânes et une mule solitaire à **Rudham**! Peu de vaches sont en revanche comptées, elles étaient plus recherchées pour la reproduction que pour leurs produits laitiers. Le petit chiffre de 23 qui leur est attribué ne peut être exact et la plupart devait être intégrée dans la catégorie 'divers' d'*animalia*'. Les ruches du seigneur étaient aussi indiquées, 400 en tout. **Methwold** en avait le plus grand nombre, 27. Ce total est encore une fois en dessous de la réalité, car les abeilles étaient la source principale pour la fabrication de la cire, et bien sur aussi pour le miel qu'on utilisait dans la préparation de boissons alcoolisées. Le Domesday Book ne mentionne pas du tout les lapins pour la simple raison qu'ils étaient inconnus en Angleterre et ne furent introduits qu'au XIIème siècle. Leur importance dans l'économie rurale, spécialement dans le Breckland au Sud-Ouest, ne fut établie qu'après 1200.

Le Norfolk était également une région boisée (106). Selon le nombre de cochons qu'une forêt pouvait nourrir permettait au Domesday Book de déterminer la superficie de cette forêt. Les cochons mangeaient en effet les glands et les faînes des chênes et des hêtres. Ces bois

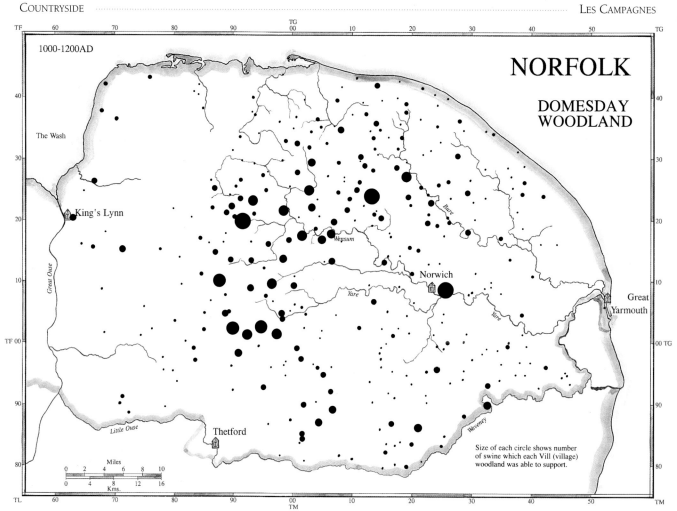

106. Woodland in Domesday Book.
Map by Hoste Spalding.

Forêts et bois selon le Domesday Book.

Methwold had the most, with 27. This total is almost certainly very much lower than reality, for bees were the main source of wax and, of course, of honey, essential in the production of alcoholic beverages. Domesday Book is quite silent on rabbits, for they were not a native species and were first introduced in the 12th century. Their importance in the rural economy of areas of light soil, especially the Breckland of the south-west of the county, did not become established until after the Norman period.

As well as pastures, meadows and arable fields there were of course areas of woodland over most of the county (106). In Domesday Book the size of woodland was normally given as the number of swine a wood could support. Pigs ate acorns and the fruit or 'mast' from beech trees. These woods were not for the most part the classic managed coppice and standard woods of later medieval times. Timber trees and coppices were undoubtedly present in many woods, but by the 11th century many had become wood pastures which included considerable areas of open ground. The figures that Domesday gives for 1066 and 1086 indicate that in some villages woodland had been reduced by the later date. The largest tracts of woodland were to be found on the lighter boulder clay of central Norfolk in villages such as **Cawston** with wood for 1,500 pigs in 1066 or **North Elmham** which could feed

n'atteignaient pas les standards de productivité de la fin de l'époque médiévale. Arbres et taillis étaient sans aucun doute présents dans les forêts, mais au XIème siècle, la plupart des forêts étaient devenues des pâtures et des clairières. Ceci impliqua un défrichement et des forêts clairsemées d'où les taillis avaient été enlevés. Les chiffres du Domesday Book indiquent que dans certains villages les forêts ont été considérablement réduites entre 1066 et 1086. Les plus grandes traces de forêts ont été trouvées sur les terres argileuses du Centre Norfolk, à **Cawston** où l'on dénombra 1500 cochons en 1066 et **North Elmham** qui pouvait en nourrir 1000. Quelques endroits n'étaient pas recouverts par la forêt, en particulier au Nord-Ouest, où se trouvaient des carrières de craie, et dans le Breckland. La disparition des forêts entre la Conquête et la réalisation du Domesday Book était la conséquence d'un besoin croissant de terres arables. D'autres terres furent converties en pâtures. Durant le XIIème siècle, les forêts mentionnées dans le Domesday Book semblent avoir été séparées en trois. Certaines devinrent la propriété du seigneur et par là même gérées par lui, d'autres devinrent des parcs réservés pour la chasse du seigneur et d'autres terres devinrent des pâtures communales presque sans arbres. La forêt la plus grande en 1086 était à **Thorpe**, à l'Est de Norwich, qui suffisait à nourrir 1200 cochons. Cette zone s'étendait sur 10 km au Nord-Est et une partie est maintenant connue sous le nom de Mousehold Heath.

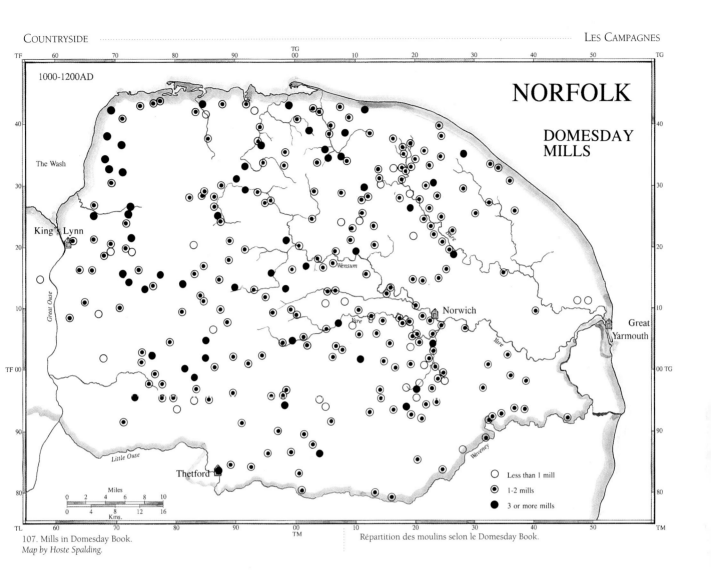

107. Mills in Domesday Book.
Map by Hoste Spalding.

Répartition des moulins selon le Domesday Book.

1000. Some parts were free of woodland, in particular the high chalkland of the north-west and the Breckland. Some of the decreases in woodland between the Conquest and Domesday were probably carried out to increase areas of arable. Others might have been converted to open grass pasture. In the course of the 12th century, the remaining woodland of Domesday seems to have taken three different paths. Some became managed woodland and part of the lord's demesne, some was retained by the lord and converted into hunting parks, and some became open and relatively treeless common pasture. The largest amount of woodland by 1086, which was sufficient to feed 1,200 pigs, lay in **Thorpe** just east of Norwich. Much of this must have become Mousehold Heath, a once much larger area of common heath and pasture which stretched far to the north-east as far as 6 miles (10km) from the city.

Watermills, which ground the cereal produce of the county's farms, were a common feature of the Norman countryside, with over 300 villages listed in Domesday as possessing mills (107). Of these a very large number may have been inefficient because they were often situated rather close together along watercourses which in some cases were merely minor tributaries. **Barsham**, for example, had nine mills. On the other hand in **Tasburgh**

Les moulins à eau, qui permettaient de moudre les céréales, faisaient partie du paysage du Norfolk. Le Domesday Book mentionne plus de 300 villages possédant leur propre moulin (107). Certains moulins ne devaient pas être cependant d'une grande utilité, dans la mesure où ils se trouvaient regroupés très souvent près des mêmes sources d'eau, qui dans certains cas étaient seulement des affluents de rivières.

Barsham par exemple avait neuf moulins. Par contre, à **Tasburgh**, on trouvait un tiers d'un moulin sur une propriété et un quart sur une autre. Pendant le XIIème siècle, une nouvelle technologie apparut: le moulin à vent, résultat des Croisades au Moyen Orient, qui se répandit très rapidement dans le pays tout entier.

LES INDUSTRIES RURALES ET L'ARTISANAT

Outre l'agriculture, activité principale, on trouvait également des industries, telles que l'exploitation minière du fer et des fonderies à **Sheringham** et à **Cromer**, ou encore la fabrication potière à **Grimston**, près de King's Lynn. Les seules preuves de ces

there was one third of a mill on one holding and one quarter on another. In the course of the 12th century a new technology, wind-power, spread rapidly over the country as a result of the contact brought about by the Crusades with the Middle East where windmills had been long-established.

RURAL INDUSTRIES AND CRAFTS

Along with the dominant activity, farming, there were forms of industry carried out in the Norman countryside, such as iron mining and smelting on high ground inland from **Sheringham** and **Cromer**, or pottery making as at **Grimston** near Kings Lynn. For both of these industries there is only archaeological evidence. Other industries or crafts, such as textile manufacture and bronze-working are occasionally glimpsed in the archaeology of the countryside but were mainly concentrated in the towns. Salt-making, carried out by evaporation methods in tidal shallows, thrived around the low-lying areas of both the east and the west, as attested by the Domesday Book. 62 villages had salt-pans in 1086. Some of these must have been detached from their villages, for places such as **Necton** and **Helhoughton**, are far from the coast (108). One quasi-industrial activity which must have begun in the 11th century and was carried on with great vigour in the 12th, was the extraction of peat from the river valleys of those rivers which flow out into the North Sea through Great Yarmouth, the Ant, Bure, Yare and Waveney. As many as 900 million cubic metres of peat were extracted in the course of three centuries. Peat from other sources was used as a fuel, but in these valleys so much was dug out in the early medieval period that the huge extraction pits, which were filled by floodwaters at the end of the 13th century and never again used, were thought to be parts of the natural landscape until the 1950s. They are now known as the Norfolk Broads.

TRANSPORT

As was normal in pre-Industrial times, water transport was of considerable importance in the 11th and 12th centuries for local as well as international trade and contact. Shallow-draught boats were employed to move around materials locally and for long distances. Caen stone, so widely employed in the Norman churches of South Norfolk, would have been transported far inland on such boats which took advantage of the many small waterways. What was the level of land communication in the countryside? This subject is one for which there is virtually no

industries proviennent d'évidences archéologiques. D'autres industries telles que la confection de vêtements et le travail du bronze, apparaissent quelquefois dans les campagnes, mais le plus souvent ces activités se concentraient dans les villes. L'exploitation du sel (évaporation de l'eau peu profond bénéficiant des marées) prospéra dans l'Est et l'Ouest du Norfolk, comme attestée par le Domesday Book. 62 villages possédaient des sites de production de sel en 1086. Certains d'entre eux étaient détachés de leurs villages, comme **Necton** et **Helhougton** par exemple, et loin de la côte (108). L'une des activités quasi-industrielles qui commenca au XIème siècle et qui continua avec force au XIIème fut l'extraction de la tourbe de la rivière Ant et des fleuves Bure, Waveney et Yare, qui allaient se jeter dans la Mer du Nord à Great Yarmouth. 900 millions de m3 de tourbe furent extraites pendant trois siècles. La tourbe provenant d'autres sources était utilisée comme combustible. Cette matière première fut tellement extraite au début de la période médiévale que les puits des mines furent vite épuisés et comblés par les inondations de la fin du XIIIème siècle et jamais ré-utilisés. Jusqu'en 1950, on les considérait comme faisant partie du paysage naturel du Norfolk. On les nomme aujourd'hui les Norfolk Broads.

LE TRANSPORT

Comme dans toutes les sociétés pré-industrielles, le transport par voie d'eau était important pour le commerce local et international. Des bateaux à faible tirant d'eau devaient être utilisés pour le transport du matériel dans le Norfolk et aussi sur de longues distances. La large utilisation de la pierre de Caen pour la construction des églises dans le Sud du Norfolk tira avantage de ces bâteaux et des routes fluviales. Cependant, quel était le niveau de communication dans les campagnes? Malheureusement, aucune source écrite ne nous est parvenue, et il est donc impossible de démontrer ce problème. On peut assumer cependant que les routes datant de l'époque romaine, et que l'on peut voir encore aujourd'hui, aient également servi pendant l'époque normande. D'autres voies principales utilisées à la fin de la période médiévale, comme celle de Thetford à Norwich, et bien que non romaine, étaient également en service. Beaucoup de routes secondaires, chemins et autres voies de transport qui couvrent la campagne doivent dater de l'époque normande, voire même un peu plus tôt. Un ensemble de chemins dans le Sud-Est du Norfolk, aux alentours de **Dickleburgh** ont été démontrés comme datant de l'époque romaine, et même pré-romaine. Des recherches sur le terrain peuvent démontrer l'ancienneté des routes secondaires. Elles

contemporary written evidence, and which in terms of solid archaeological evidence is a closed book. However, it can be assumed that those Roman roads whose lines survived into modern times must have been open during the period in question. Other major routes in use in the later medieval period, such as that from Thetford to Norwich, although not Roman, may have been in use in Norman times. Many of the local roads, lanes and tracks that wind around the countryside must go back to the Norman period or earlier. Indeed a whole series of lanes in south-east Norfolk in the area of **Dickleburgh** have been shown to be early Roman or even pre-Roman in origin. Careful fieldwork can demonstrate the antiquity of minor routes by revealing their relationships with dated archaeological sites and with other aspects of the landscape.

révèlent ainsi les liens qui existent avec d'autres sites archéologiques connus et permettent de comprendre d'autres aspects du paysage et l'histoire du comté.

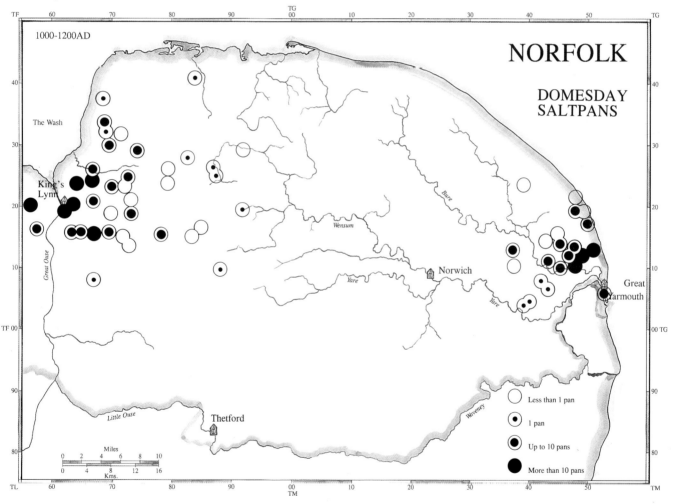

108. Salt-pans in Domesday Book.
Map by Hoste Spalding.

Les centres de production de sel selon le Domesday Book.

103

GLOSSARY
GLOSSAIRE

Ambulatory: semicircular aisle at east end of a church, round an apse or sanctuary.

Apse: a vaulted semicircular, or five-sided, end to a chancel of a church.

Arcade: a row of arches, often used to decorate a wall.

Ashlar: hewn or squared stone for building.

Beds (in quarry): layer of stone.

Basilica: early Christian rectangular church with apse at east end and aisles, built on the plan of a Roman palace or law court.

Bishopric: the province of a bishop, or diocese.

Christ in Glory: Christ shown with hand raised in blessing, often within an almond-shaped frame.

Chronicles: a record of historical events in chronological order.

Clerestory: the upper storey of a church, pierced by windows, usually above aisles to light the nave.

Colonette: a miniature column.

Constable: the governor or warden of a royal castle.

Corbel: a projection on a wall which supports a structure above.

Crossing: the space in a church where nave and transepts intersect.

Crozier: a Christian symbol of guidance, originating in the shepherd's crook, used by bishops, abbots and abbesses.

Effigy: sculptured image of a person, often used on tombs.

Escarpment: natural steep slope.

Facade: the face of a building.

Abside: extrémité d'une église arrondie ou polygonale, derrière le choeur.

Arcade: série d'arches souvent utilisées comme décoration d'un mur.

Baron: grand seigneur du royaume.

Bas-côté: nef latérale d'une église.

Basilique: église rectangulaire datant du début de l'époque Chrétienne, construite sur le même plan qu'un palais Romain ou Cour de Justice.

Châpiteau: partie supérieure d'une colonne, posée sur le fût.

Château: forteresse entourée de fossés et défendue par de gros murs flanqués de tours ou de bastions.

Chroniques: recueil de faits historiques rédigés suivant l'ordre chronologique.

Claires-voies: série de hautes fenêtres destinées à éclairer la nef d'une église.

Clayonnage: assemblage de pieux, de branchages soutenant des constructions.

Conétable: gouverneur d'un château royal.

Corbeau: pièce d'architecture d'un mur qui supporte une autre structure architecturale.

Croisée: endroit d'une église où la nef et le transept se rencontrent.

Crosse: bâton pastoral d'évêque ou d'abbé à bout recourbé.

Déambulatoire: galerie qui relie les bas-côtés d'une église en passant derrière le choeur.

Donjon: tour principale d'un château fort constituant l'ultime refuge en cas de danger.

Epître: lettres envoyées par Saint Paul aux premiers Chrétiens.

Fief: domaine possédé par un seigneur qui devait reconnaître la suzeraineté d'un autre.

Fee/Fief: the property granted to a vassal by his lord in return for his service and homage.

Garth: the open space within cloisters.

Hide: a Saxon unit for measuring land, used in Domesday Book (varying from 60-120 acres, 24-48 hectares).

Homage: the loyalty and service owed by a vassal to his lord.

Hood-mould: a moulding that juts out from a door or window arch to keep the rain off the wall.

Iconography: pictures showing an episode from a story, or an event.

Late Saxon: the period before the Norman Conquest, roughly 900-1066.

Manor: a unit of land-holding of legal rights over land and people, normally within a restricted geographical area.

Motte and bailey: a mound of earth (motte) with one or more semi-circular ramparts around it enclosing land and buildings (bailey).

Nook shaft: shafts set into a nook between two orders on an arch.

Pier: a column, free-standing and weight-bearing.

Pilaster: a square or rectangular pillar or column against a wall.

Piscina: a basin with a drain where water used at Mass is poured away.

Quoin: a stone forming the outside corner of a wall or building.

Reeve: Saxon official of high rank, holding local authority from the king.

Ringwork: circular fortifications.

Romanesque: a style of art and architecture which occurred all over Europe from about 1000AD-1150, almost a rebirth of the conformity which existed during the Roman Empire 1000 years earlier. The architecture is characterised by great churches, where the individual parts are integrated into a harmonious whole.
See: the province of a bishop, or diocese.

Fonts baptismaux: vase contenant l'eau consacrée destinée à la célébration du baptème.

Graverie: impôt direct sur les transports.

Hide: unité de mesure saxonne utilisée dans le Domesday Book et correspondant entre 24 et 48 hectares.

Hommage: acte par lequel le vassal se reconnaissait l'homme du suzerain dont il allait recevoir un fief.

Manoir: unité de mesure des terres et des ouvriers sur ces terres, le plus souvent dans une zone géographique limitée.

Motte: une masse de terre compacte édifiée par l'homme dans le but de se défendre.

Moulure: ornement de sculpture.

Nef: partie d'une Église qui va du portail à la croisée du transept.

Penny: monnaie anglaise, la seule pièce de monnaie utilisée et valable à cette époque.

Pilastre: pillier rectangulaire ou carré s'appuyant au mur.

Piscine: basine avec un tuyau par lequel l'eau de Messe est vidée.

Réformation: Henri VIII (1509-1547), roi d'Angleterre, se proclame Chef de l'Église Anglicane.

Résidence fortifiée: ensemble d'édifices regroupés en haut d'un tertre et entourés de fortifications.

Roman (art et architecture): style qui apparut en Europe à partir de l'an 1000 jusqu'en 1150. C'est presque une renaissance de l'art romain qui existait 1000 ans plus tôt. L'architecture est caractérisée par de grandes églises, où l'individualité s'intègre à l'ensemble.

Salle capitulaire: bâtiment ou salle où un ordre religieux se réunissait.

Seigneur: personne propriétaire d'un fief, d'une terre.

Shérif: gouverneur saxon qui était le représentant du pouvoir royal dans un comté (ce titre était toujours utilisé après la Conquête).

Tenant-en-Chef: propriétaire de terres le plus important après le roi.

Tonlieux: impôt sur le commerce.

Torchis: mélange d'argile et de paille servant à la construction.
Tour de croisée: tour qui se trouve à la croisée (cf. croisée).

Sheriff: shire reeve, a Saxon official who was the royal representative in a shire (title continued after the Norman Conquest).

String-course: a projecting band or moulding running horizontally along the face of a building.

Tympanum: a semicircular field in the head of an arch in a doorway.

Undercroft: a partly below ground basement, normally used for storage.

Vassal: a man who bears homage to his lord in return for protection and a fief.

Transept: nef transversale d'une église qui coupe à angle droit la nef principale et qui donne la forme symbolique d'une croix.

Tympan: espace généralement décoré de sculptures sur l'arche d'un portail d'église.

Vassal: personne qui rend hommage à un seigneur en échange de sa protection et d'un fief.

Vavasseur: arrière-vassal.

Vicomte: représentant du pouvoir royal en Normandie (correspond au Shérif saxon).

Village 'nucléaire': village rassemblé ou compact.

Voussoir: chacune des pierres taillées en coin qui forment le cintre d'une voûte ou d'une arche.

FURTHER READING
BIBLIOGRAPHIE

ENGLISH / LECTURES EN ANGLAIS

Allen, Brown, R. **English Castles** (Batsford, 1970)

Anglo-Saxon Chronicle in **English Historical Documents, 1042-1189** (Eyre and Spottiswoode, London, 1959)

Atkin, M., **Norwich** (Alan Sutton, 1993)

Ayers, B., Bown, J., and Reeve, J., **Digging Ditches** (Norfolk Museums Service, 1992)

Ayers, B., **Norwich** (English Heritage, Batsford, 1994)

Bates, D., **William the Conqueror** (George Philip, London, 1989)

Decaëns, H., **Jumièges Abbey** (Ouest France, 1986)

Domesday Book, Norfolk (DB33) (Phillimore, 1984)

English Romanesque Art, 1066-1200 (Arts Council of Great Britain, Weidenfeld and Nicholson, London, 1984)

Fernie, E., **An Architectural History of Norwich Cathedral** (Clarendon Studies in the History of Art, Oxford, 1993)

Heslop, T.A., **Norwich Castle Keep: Romanesque Architecture and Social Context** (forthcoming).

Pevsner, N., **The Buildings of England** (North-East Norfolk and Norwich, North-West and South Norfolk) (Penguin, 1962)

William the Conqueror and the Battle of Hastings (Pitkin Pictorials Ltd for Bayeux Museum)

Williamson, T., **The Origins of Norfolk** (Manchester, 1993)

Wilson, D.M., **The Bayeux Tapestry** (Thames and Hudson, 1985)

FRENCH / LECTURES EN FRANÇAIS

Bély, Lucien, **La Normandie** (Ouest France, 1978)

Guillaume le Conquérant, Images et Chroniques (Société de l'Histoire de Normandie, Archives Départementales de la Seine-Maritime, 1987)

Les Châteaux Normands de Guillaume le Conquérant à Richard Coeur de Lion (Musée de Normandie, Caen, 1987)

Tapisserie de Bayeux, reproduction intégrale au 1/7e (Musée de la Tapisserie, Bayeux)